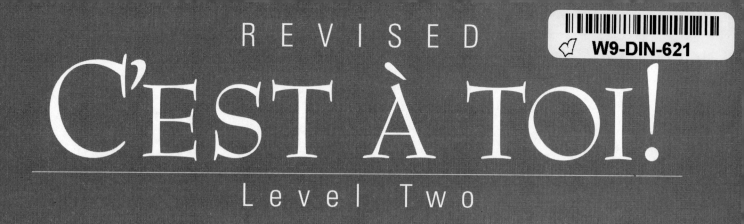

REVISED

# C'EST À TOI!

## Level Two

# Workbook Teacher's Edition

EMC/Paradigm Publishing, Saint Paul, Minnesota

| Editorial Development: | Course Crafters, Inc.<br>Newburyport, MA |
| --- | --- |
| Illustrations: | Renegade Studios<br>Grace Meyer<br>Jim Roldan |
| Design and Production: | All Night Illustration<br>Susan Bond |

## *Acknowledgments*

Heine, Heinrich, "Adieu Paris" in *Poète d'aujourd'hui*, Éditions Seghers (poem): 185
Lapointe, Gatien, *Ôde au Saint-Laurent*, Le Groupe Ville-Marie Littérature (poem): 153
Norge, Géo, "Monsieur" in *Famines*, Éditions Seghers (poem): 122
Pagnol, Marcel, *Le Temps des secrets*, Éditions Bernard de Fallois (novel): 169
Parc zoologique de Paris (brochure): 47

We have attempted to locate owners of copyright materials used in this book. If an error or omission has occurred, EMC/Paradigm Publishing will acknowledge the contribution in subsequent printings.

ISBN 0-8219-2282-3

**Published by EMC/Paradigm Publishing**
875 Montreal Way
St. Paul, Minnesota 55102
800-328-1452
http://www.emcp.com
E-mail: educate@emcp.com

Printed in the United States of America
1 2 3 4 5 6 7 8 9 10 XXX 07 06 05 04 03 02

This book has been printed using recycled paper containing 10% post-consumer waste.

# CONTENTS

# To the Teacher

The Workbook Teacher's Edition reproduces the pages of the student workbook with answers to the activities printed in red for easy reference. Some of the activities practice the structures, functions, vocabulary and expressions introduced in the textbook and have only one correct answer. Other activities are more open ended. Some ask students to answer questions by writing complete sentences. The Workbook Teacher's Edition provides suggested answers to these questions, but students' responses may differ. The other type of open-ended questions asks students to respond with personal information. In this case, the Workbook Teacher's Edition states "Answers will vary."

# Unité 1 — *Les fêtes*

**1** | Write the names of who is doing what at the New Year's Eve party.

1. _____**Jérôme**_____ arrive.

2. _____**Philippe**_____ et _____**Suzanne**_____ dansent.

3. _____**Jean-Luc**_____ et _____**Lucie**_____ parlent.

4. _____**Diane**_____ écoute de la musique.

5. _____**Laurent**_____ finit son coca.

6. _____**Louis**_____ et _____**Guillaume**_____ mangent.

7. _____**Cédric**_____ attend quelqu'un.

8. _____**Sandrine**_____ téléphone à une amie.

**2** | Answer the following questions.

1. What is one food that is traditionally served on New Year's Eve?

   Raw oysters are traditionally served on New Year's Eve.

2. What does mistletoe symbolize for the French?

   Mistletoe symbolizes good luck for the French.

3. What Parisian street is filled with honking cars on New Year's Eve?

   The **Champs-Élysées** is filled with honking cars on New Year's Eve.

4. What is a **nuit blanche**?

   A **nuit blanche** is a night when someone stays up until early the

   next morning.

5. What does **RSVP** stand for?

   **RSVP** stands for **Répondez s'il vous plaît**.

6. Why do hosts write **RSVP** on invitations?

   Hosts write **RSVP** on invitations so that they know how many guests

   to expect.

**3** | **A.** Not everyone has arrived yet at the costume party. Whom or what do you think each of these guests is waiting for? Write complete sentences using the correct form of the verb **attendre**. The first sentence is done for you.

| | | |
|---|---|---|
| 1. | Mickey Mouse | le Joker |
| 2. | Ton petit frère | mes amis |
| 3. | Garfield et Odie | Barney |
| 4. | Docteur Jekyll et toi, vous | Minnie |
| 5. | Calvin et moi, nous   **attendre** | Kermit |
| 6. | Cleopatra | Hobbs |
| 7. | Charlie Brown et Snoopy | Monsieur Hyde |
| 8. | Batman et Robin | Jon |
| 9. | Mademoiselle Piggy | Lucy |
| 10. | Moi, j' | Mark Antony |

1. *Mickey Mouse attend Minnie.*
2. Ton petit frère attend Barney.
3. Garfield et Odie attendent Jon.
4. Docteur Jekyll et toi, vous attendez Monsieur Hyde.
5. Calvin et moi, nous attendons Hobbs.
6. Cleopatra attend Mark Antony.
7. Charlie Brown et Snoopy attendent Lucy.
8. Batman et Robin attendent le Joker.
9. Mademoiselle Piggy attend Kermit.
10. Moi, j'attends mes amis.

**B.** Write one thing that the guests in Activity 3A do at the party and one thing that they don't do, using activities from the list that follows. Make sure that you use the appropriate form of the verb in each of your sentences.

| | | |
|---|---|---|
| manger du fromage | danser | téléphoner aux amis |
| finir leurs devoirs | nager | regarder la télé |
| attendre quelqu'un | jouer au foot | perdre quelque chose |
| jouer au volley | arriver à 8h00 | écouter de la musique |
| rentrer à 11h00 | inviter Jasmine | porter des vêtements noirs |
| porter une belle robe | parler aux chiens | jouer aux jeux vidéo |
| jouer au basket | arriver à 11h00 | porter un chapeau |
| manger beaucoup | étudier le français | parler français |
| chercher quelqu'un | | |

Modèle: *Mickey Mouse et Minnie mangent du fromage.*

   *Ils ne regardent pas la télé.*

1. Ton petit frère ___Answers will vary._____

   _____

2. Garfield et Odie _____

   _____

3. Docteur Jekyll et toi, vous _____

   _____

4. Calvin et moi, nous _____

   _____

5. Cleopatra _____

   _____

6. Charlie Brown et Snoopy _____

   _____

7. Batman et Robin _____

   _____

8. Mademoiselle Piggy _____

   _____

9. Moi, je _____

   _____

**4** **A.** Write a paragraph with a minimum of five sentences describing what you do or don't do during the summer. Then write a second paragraph with a minimum of five sentences describing different activities that you do or don't do in the fall during the week. Use a different verb from the following list in each of your sentences.

écouter de la musique                attendre mes amis au stade

finir mes devoirs                        jouer au tennis

arriver à l'école                        nager

regarder la télé                        manger un sandwich

téléphoner à mes amis                    étudier

travailler                            parler avec mes parents

jouer aux jeux vidéo                    rester à la maison

rester au lit                            jouer au volley

voyager                                jouer au foot

En été:

Answers will vary.

_____

_____

_____

_____

_____

_____

_____

_____

En automne:

_____

_____

_____

_____

_____

_____

_____

**B.** Write about any five of the things in Activity 4A that you do with someone else. Mention the other person in each of your sentences.

Modèles: *Mon frère et moi, nous regardons la télé.*

*Claire et moi, nous jouons au tennis.*

1. Answers will vary.

2. _____

3. _____

4. _____

5. _____

**5** All the relatives have arrived for the holidays. Always inquisitive, young André is trying to figure out how everyone is related, with some help from his brothers, Laurent and Jean-Luc, and his new sister-in-law, Christine. Complete the puzzle using the appropriate possessive adjectives. "V" for **Verticalement** means "down," and "H" for **Horizontalement** means "across."

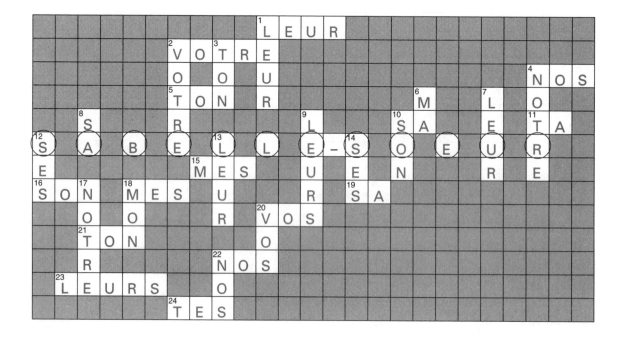

| | |
|---|---|
| André: | Est-ce que tante Mireille est la sœur de maman? |
| Laurent: | Oui, c'est _____*19 H*_____ sœur. |
| André: | Et est-ce que grand-mère et grand-père LaSalle sont les parents de maman? |
| Laurent: | Oui, ce sont _____*12 V*_____ parents. |
| Christine: | Ce sont aussi les parents de ta tante. |
| Laurent: | Oui, ce sont _____*14 V*_____ parents aussi. |
| Christine: | Et ton père, Bernard, est le fils de ta grand-mère Dubois. |
| André: | Grand-mère Dubois est _____*10 H*_____ mère? |
| Christine: | Oui, c'est la mère de _____*3 V*_____ père et la belle-mère de ta mère. |
| André: | Oncle Jules est le mari de tante Mireille, n'est-ce pas? |
| Christine: | Oui, c'est _____*16 H*_____ mari. |
| Laurent: | Et tante Mireille est _____*8 V*_____ femme. |
| André: | Sylvie et Sophie sont _____*23 H*_____ filles? |
| Laurent: | Oui, bien sûr. |
| André: | Et ce sont _____*4 H*_____ cousines? |
| Laurent: | Oui, Sylvie et Sophie sont _____*22 H*_____ cousines. |
| André: | Alors, est-ce que grand-père LaSalle est aussi _____*1 V*_____ grand-père? |
| Laurent: | Oui. |
| André: | Et grand-mère LaSalle est _____*1 H*_____ grand-mère? |
| Laurent: | Oui. |
| André: | Et grand-mère Dubois est aussi _____*7 V*_____ grand-mère? |
| Laurent: | Non. |
| André: | Pourquoi pas? |
| Laurent: | Parce que tante Mireille est la fille de grand-mère et grand-père LaSalle, mais oncle Jules n'est pas le fils de grand-mère Dubois. |
| André: | Oncle Jules n'est pas _____*10 V*_____ fils? Oncle Jules n'est pas le frère de...? |
| Christine: | Non, oncle Jules n'est pas le frère de ton père. |
| André: | Mais nous sommes les cousins de Sylvie et Sophie? |
| Laurent: | Oui, nous sommes _____*9 V*_____ cousins. |
| André: | Et Marie-Louise? |
| Laurent: | Marie-Louise, c'est la cousine de Sylvie et Sophie aussi. C'est _____*13 V*_____ cousine. |
| André: | Et c'est aussi ma sœur. Et Jean-Luc et Laurent, vous êtes _____*18 H*_____ frères. |
| Jean-Luc: | Laurent est ton frère, mais je suis _____*21 H*_____ demi-frère. |
| André: | Pourquoi? |
| Jean-Luc: | Parce qu'Élisabeth n'est pas _____*6 V*_____ mère. |
| André: | Mais Bernard est _____*5 H*_____ père? |

Jean-Luc: C'est ça!

André: Et Christine est _____11 H_____ femme?

Jean-Luc: Oui, c'est ma femme.

André: Et Chouchou est _____2 H_____ chien?

Jean-Luc: Oui, Chouchou est _____17 V_____ chien.

André: Et _____20 H_____ chats sont Pierre et Pierrot?

Jean-Luc: Oui, Pierre et Pierrot sont _____22 V_____ chats.

André: _____20 V_____ chats sont ici?

Jean-Luc: Non, ils sont à la maison.

André: _____2 V_____ maison est à Paris, n'est-ce pas?

Christine: _____4 V_____ maison est à Paris mais nos parents habitent ici.

André: _____24 H_____ parents sont les Duval, n'est-ce pas, Christine?

Christine: Oui, M. et Mme Duval sont _____15 H_____ parents.

André: Alors, Laurent est _____18 V_____ frère, et Jean-Luc est mon demi-frère.

When you've finished the puzzle, fill in the remaining three circles to reveal André's favorite relative.

---

**6** | The holiday is over and all Laurent's relatives are looking for their belongings. Fill in the blanks of Laurent's conversation with his mother using the appropriate possessive adjectives. The first four answers are done for you.

Laurent: Je cherche _____mon_____ pull.

Sa mère: Oh! C'est ta sœur qui a _____ton_____ pull. Mais, qu'est-ce qu'elle cherche?

Laurent: Marie-Louise? Elle cherche _____son_____ sac à dos et moi, je cherche _____ma_____ disquette.

Sa mère: _____Ton_____ frère a _____ta_____ disquette.

Laurent: Je cherche _____mon_____ dictionnaire aussi.

Sa mère: Et _____ta_____ grand-mère? Qu'est-ce qu'elle cherche?

Laurent: Grand-mère Dubois? Elle cherche _____son_____ café.

Sa mère: _____Son_____ café est dans le micro-onde. Qu'est-ce que _____ton_____ grand-père cherche?

Laurent: Il cherche _____son_____ chapeau.

Sa mère: _____Son_____ chapeau est sur le canapé.

Laurent: Et mon père? Qu'est-ce qu'il cherche? _____Sa_____ veste?

Sa mère: _____Ton_____ père cherche _____son_____ anorak.

Laurent: _____**Son**_____ anorak n'est pas dans l'armoire?

Sa mère: Non. Qu'est-ce que _____**tes**_____ cousines cherchent?

Laurent: Sophie et Sylvie? Elles cherchent _____**leur**_____ vidéocassette. Elles cherchent aussi _____**leurs**_____ chips.

Sa mère: _____**Tes**_____ frères mangent _____**leurs**_____ chips.

Laurent: Qu'est-ce que tante Mireille et oncle Jules cherchent? _____**Leur**_____ carte?

Sa mère: Non, ils cherchent _____**leurs**_____ chèques de voyage.

Laurent: _____**Leurs**_____ chèques de voyage sont sur la table dans la salle à manger.

Sa mère: Bon. Est-ce que tu vois les tennis de _____**ton**_____ frère?

Laurent: D'André? Ce ne sont pas _____**ses**_____ tennis dans l'entrée?

Sa mère: C'est possible. Oh... Jean-Luc cherche _____**ses**_____ CDs.

Laurent: Sophie et Sylvie ont _____**ses**_____ CDs.

Sa mère: Et André et toi, où sont _____**vos**_____ blousons?

Laurent: _____**Nos**_____ blousons sont sur le grand fauteuil dans le séjour.

---

**7** | Look at the drawings. Then write the time when each event takes place. The first one is done for you.

1.  Suzanne finit son déjeuner.
    *Il est une heure moins le quart.*

2.  Philippe téléphone à Suzanne.
    Il est une heure.

3.  Philippe invite Suzanne à une boum.
    Il est une heure dix.

4.  Suzanne cherche quelque chose à porter à la boum.
    Il est une heure et demie.

5.  Suzanne va au centre commercial.
    Il est deux heures moins cinq.

6.  Suzanne achète une robe.
    Il est quatre heures moins vingt.

7.  Suzanne prend le métro.
    Il est quatre heures et quart.

8.  Suzanne écoute de la musique.
    Il est cinq heures et demie.

9.  Philippe regarde la télé.
    Il est sept heures moins vingt-cinq.

10. Philippe arrive chez Suzanne.
    Il est huit heures.

11. Ils arrivent à la boum.
    Il est huit heures vingt-cinq.

12. Ils parlent avec leurs amis.
    Il est huit heures et demie.

13. Ils mangent.
    Il est neuf heures dix.

14. Ils dansent.
    Il est dix heures moins le quart.

**8** Marie is helping her new sister-in-law, Corinne, fill in her daily planner. Write the indicated dates. The first one is done for you.

Corinne: Quelle est la date de ton anniversaire? (13.11)

Marie: Mon anniversaire est ___*le treize novembre*___ .

Corinne: L'anniversaire de Jean-Paul est au printemps, n'est-ce pas? (8.4)

Marie: Oui, son anniversaire est ___le huit avril___ .

Corinne: Quelles sont les dates des anniversaires de tes parents? (20.5 / 2.3)

Marie: L'anniversaire de maman est ___le vingt mai___ . Et l'anniversaire de mon père est ___le deux mars___ .

Corinne: Et ton petit frère? (1.9)

Marie: Nicolas? Son anniversaire est ___le premier septembre___ .

Corinne: Et ta grand-mère Sandier? (14.8)

Marie: Son anniversaire est ___le quatorze août___ .

Corinne: Et les parents de ta mère? (20.12 / 16.2)

Marie: L'anniversaire de ma grand-mère est ___le vingt décembre___ . Et l'anniversaire de mon grand-père est ___le seize février___ .

Corinne: Et ton oncle? (15.10)

Marie: L'anniversaire de mon oncle est ___le quinze octobre___ .

Corinne: Et ta tante? (31.7)

Marie: Son anniversaire est ___le trente et un juillet___ .

Corinne: L'anniversaire de Sara est le six janvier, n'est-ce pas? (1.6)

Marie: Non, son anniversaire est ___le premier juin___ .

**9** Discover the name and place of origin of the mystery figure. In the grid, cross out the letters of the alphabet in sequence, then write the remaining letters on the line to identify the mystery figure. The first letter has been crossed out for you.

~~A~~ L B E C B D O E N F H G
O H M I M J E K C L A M R
N N O A P V Q A R L S D T
E U Q V U W E X B Y E Z C

<u>LE BONHOMME CARNAVAL DE QUÉBEC</u>

**10** Match each name with the letter of the phrase that describes it.

   <u>e</u>   1. Samuel de Champlain     a. the sculptor of the *Lion de Belfort*

   <u>a</u>   2. Bartholdi     b. the mascot of the Quebec Winter Carnival

   <u>g</u>   3. **le château Frontenac**     c. the major ice construction at the Quebec Winter Carnival

   <u>c</u>   4. **le palais de glace**

   <u>f</u>   5. Saint Lawrence     d. a city in eastern France

   <u>b</u>   6. **le Bonhomme Carnaval**     e. the French explorer who founded Quebec City

   <u>d</u>   7. Belfort     f. the river that flows through Quebec City

                              g. an elegant hotel in Quebec City

**11** **A.** Laurent runs into Béatrice and Myriam outside a shopping mall in Quebec. Complete their conversation using the appropriate forms of the verb **aller**.

Laurent: Salut, les filles! Comment ça <u>  va  </u> ?

Béatrice: Ça <u>  va  </u> bien, merci. Et toi?

Laurent: Assez bien. Et Myriam, comment <u>  vas  </u>-tu?

Myriam: Je <u>  vais  </u> très bien, merci.

Laurent: Où <u>  allez  </u>-vous?

Béatrice: Nous <u>  allons  </u> au cinéma.

Laurent: Qu'est-ce que vous <u>  allez  </u> voir?

Béatrice: On <u>  va  </u> voir *The Replacements*.

Laurent: Et après le film, où <u>  allez  </u>-vous?

Béatrice:   Moi, je ___vais___ chez moi, mais Myriam ___va___ à la bibliothèque.

Laurent:    Pourquoi est-ce que tu ___vas___ à la bibliothèque, Myriam?

Myriam:     Je ___vais___ étudier. J'ai une interro demain.

Laurent:    Et qu'est-ce que vous ___allez___ faire demain soir?

Béatrice:   Je ___vais___ à la boum de Joanne avec Thierry.

Laurent:    Et toi, Myriam? Tu ___vas___ être là?

Myriam:     Moi? Euh... non. Je ne ___vais___ pas aller à la boum.

Laurent:    Tu veux aller chez Joanne avec moi?

Myriam:     À quelle heure est-ce que tu ___vas___ partir?

Laurent:    À neuf heures.

Myriam:     Bon alors, on ___va___ à la boum ensemble.

**B.** Your pen pal, Théo, sent you a group photo taken when his relatives were visiting. In the note he included, write the appropriate forms of the verb **être**.

Ça, c'___est___ ma famille. Nous ___sommes___ ensemble pour une fête. Sur cette photo nous ___sommes___ dans le jardin derrière notre maison. Ma sœur, Marie-Louise, ___est___ à gauche. Elle ___est___ brune. Ce ___sont___ mes parents à droite de ma sœur. Mon père ___est___ ingénieur et ma mère ___est___ infirmière. Ils ___sont___ gentils. Devant mes parents ___est___ ma grand-mère. Elle ___est___ vieille mais très, très sympa. Puis, voilà mes frères. Le plus petit, c'___est___ Antoine. Il ___est___ intelligent et il n'___est___ pas paresseux. Le plus grand, c'___est___ mon frère Sébastien. Et les deux filles blondes devant Sébastien ___sont___ mes cousines, Véro et Bernadette. Elles ___sont___ timides. À droite ce ___sont___ leurs parents, tante Mireille et oncle Jean. Mon oncle Jean ___est___ coiffeur et ma tante Mireille ___est___ journaliste. Ils ___sont___ en vacances. Et moi, je ___suis___ avec notre chat, Minou. Que je ___suis___ moche ici! Mais Minou, il ___est___ toujours beau. C'___est___ vrai que je ne ___suis___ pas timide. Mes frères et moi, nous ___sommes___ bavards. Et toi, ___es___-tu timide? Ta famille et toi, vous ___êtes___ toujours ensemble pour les fêtes? Est-ce que vous ___êtes___ en vacances maintenant? Ta famille ___est___ sympa?

**12** At noon, Théo's family meets for a picnic lunch. Write where everyone is coming from (use **de l'**, **de la**, **du** or **des**) and where everyone is going after lunch (use **à l'**, **à la**, **au** or **aux**). The first two sentences are done for you.

1. Le père de Théo arrive _____*de la*_____ banque. Après le déjeuner il va _____*à la*_____ poste.

2. Sébastien arrive _____du_____ stade. Après le déjeuner il va _____au_____ cinéma.

3. Oncle Jean et tante Mireille arrivent _____de la_____ gare. Après le déjeuner ils vont _____à l'_____ hôtel.

4. La grand-mère de Théo arrive _____du_____ marché. Après le déjeuner elle va _____à l'_____ église.

5. Le petit Antoine arrive _____de l'_____ école. Après le déjeuner il va _____aux_____ Champs-Élysées.

6. Tante Sophie arrive _____des_____ États-Unis. Après le déjeuner elle va _____au_____ musée.

**13** Maurice, Marie and Xavier are getting ready to go to a **Carnaval** parade. Use the cues provided to write complete sentences that describe what each of them is wearing. Remember the "bags" adjectives when you describe their clothing. Follow the model that describes Maurice's clothing on page 16.

nouveau / vert

vieux / noir et blanc

bon / beige

joli / chaud

nouveau / chaud

beau / noir

vieux / gris

beau / marron

vieux / noir

beau / gris

**Modèle:** *Maurice porte son bon manteau beige et son beau pantalon marron.*

1. Marie porte son nouveau pull vert, sa belle jupe noire, ses vieilles bottes noires et son joli manteau chaud.

2. Xavier porte sa vieille chemise noire et blanche, son vieux jean gris, son nouvel anorak chaud et ses belles baskets grises.

**14** Imagine that your school will be unexpectedly closed tomorrow because of severe weather. Using the verb **aller**, write one thing that people are going to do, and one thing that they are not going to do tomorrow. Choose from the expressions in the following list.

| | |
|---|---|
| acheter des CDs | finir les devoirs |
| aller au cinéma | jouer au tennis |
| aller à la piscine | manger au café |
| dormir | nager |
| écouter de la musique | regarder une vidéocassette |
| étudier à la bibliothèque | travailler |
| lire un livre | faire les courses |
| skier | faire une quiche |
| faire les magasins | |

**Modèle:** Mon cousin *va dormir. Il ne va pas faire les magasins.*

1. Je Answers will vary.

2. Mes parents _____

3. Mon professeur de français _____

_____

_____

4. Mes amis et moi, nous _____

_____

_____

**15** Just as we do, people in francophone countries celebrate special events throughout the year, often with traditional foods and activities. However, not all of our holidays and customs are the same as theirs. In Column A write the name of the special occasion from the list that follows next to the date or time period when it is celebrated. Then draw a line to connect the name of the occasion in Column A to the description of how it is observed in Column B.

France's national holiday     **le jour de l'an**

**la fête du travail**     **Noël**

**la Saint-Jean**     **Pâques**

**le Carnaval**     **la fête des Rois**

**A**

1. January 1
   le jour de l'an

2. January 6
   la fête des Rois

3. February or March
   le Carnaval

4. March or April
   Pâques

5. May 1
   la fête du travail

6. June 24
   la Saint-Jean

7. July 14
   France's national holiday

8. December 24–25
   Noël

**B**

A. After midnight mass, families return home for a traditional feast.

B. A cake called **une galette** is served.

C. Children hunt for special treats.

D. In France and French Canada, there are picnics, concerts and fireworks to mark this summer festival.

E. There are parades, fireworks and masked balls before Lent begins.

F. People send cards to family and friends or give them bouquets of lilies of the valley.

G. Small gifts are given to people who have provided services throughout the year.

H. There are parades and dances in the street to commemorate the start of the French Revolution.

## Leçon C

**16** Max, who lives in Annecy, has called his friend Hélène in Martinique. Did Max or Hélène say each of the sentences that follow? List them in the order in which they were said next to the name of the appropriate speaker.

De ma fenêtre je vois la mer bleue.

Il fait très froid maintenant à Annecy.

Ici il fait beau et chaud!

Il neige.

J'ai envie de skier.

Je vais jouer au volley à la plage cet après-midi.

Max:      Il fait très froid maintenant à Annecy.

           Il neige.

           J'ai envie de skier.

Hélène:      Ici il fait beau et chaud!

           De ma fenêtre je vois la mer bleue.

           Je vais jouer au volley à la plage cet après-midi.

**17** Answer the following questions.

1. In what mountain range is the city of Annecy? The city of Annecy is in the Alps.

2. What are three of Annecy's special features? Three special features of Annecy are cobblestone streets, flower-lined canals and an exceptionally pure lake.

3. What is the capital of Martinique? Fort-de-France is the capital of Martinique.

4. Where could you go to make a phone call in France? You could make a phone call from a public phone booth on the street or at a post office in France.

5. What do you need to operate most public phones in France? You need **une télécarte** to operate most public phones in France.

6. What number do you dial in France to get an international line? To get an international line in France, you dial 19.

7. How many digits are there in a French phone number? There are ten digits in a French phone number.

**18 A.** Poor Annette! She planned a party for tonight and now nobody can come. First, write the appropriate form of **avoir** to complete each of Annette's remarks. Then, use one of the expressions that follow to explain why each friend cannot come.

avoir mal à la gorge / avoir de la fièvre / avoir mal à la tête / avoir la grippe /
avoir mal au cœur / avoir un rhume / avoir mal au ventre / avoir mal aux dents

**B.** Annette calls her friends the next morning to ask if they are doing what they usually do on the weekends. None of them is, because they all have a new ailment! Use expressions from the list that follows to complete Annette's questions. Then use expressions from the list in Activity 18A for her friends' answers. The first question and answer are done for you.

faire les courses      faire du vélo

faire du footing      faire les devoirs

faire du roller      faire les magasins

faire du sport      faire un tour

Annette:    Allô, Luc? Tu _____*fais du roller*_____ cet après-midi?

Luc:    Non, j' _____*ai un rhume*_____.

Annette:    Allô, Paul? Tu _____fais du footing_____ ce matin?

Paul:    Non, j' _____ai de la fièvre_____.

Annette:    Et Paulette? Elle _____fait un tour_____ ce matin?

Paul:    Non, elle _____a mal au cœur_____.

Annette:    Alors, vous deux, vous _____faites les courses_____ cet après-midi?

Paul:    Non, nous _____avons la grippe_____.

Annette:    Allô, Mme Diouf? Abdou et Malick, ils _____font du sport_____ cet après-midi?

Mme Diouf:    Non, ils _____ont mal au ventre_____.

---

**19** In your cousin's scrapbook you see a brochure advertising the place where she and her husband go over the New Year's holiday. You want to know more about the place and what they do there. Rewrite each indicated question in the blank marked "Q," using **est-ce que**, **n'est-ce pas** or inversion, as specified. Then write your cousin's response in the blank marked "R."

**Nouvel An à... Morzine**
du 30 décembre 2001 au 3 janvier 2002 (4015450)

**5 jours à l'hôtel "Le Petit Dru" !**

Le grand standing pour les fêtes de fin d'année... Salle de restaurant, bar avec cheminée, salons, bibliothèque, discothèque, piscine intérieure et tous les plaisirs de la table de Haute-Savoie.

**Les joies de la neige et des excursions !**
Réservez vos congés. Programme et tarif à partir d'avril 2001.

**Réveillon Surprise** • **31 décembre 2001** (4015451)

**Modèles:** Ils passent cinq jours à l'hôtel? (est-ce que)

Q — *Est-ce que vous passez cinq jours à l'hôtel?*

R — *Oui, nous passons cinq jours à l'hôtel.*

Ils arrivent à l'hôtel le 29 décembre? (inversion)

Q — *Arrivez-vous à l'hôtel le 29 décembre?*

R — *Non, nous arrivons à l'hôtel le 30 décembre.*

Ils dansent à l'hôtel? (n'est-ce pas)

Q — *Vous dansez à l'hôtel, n'est-ce pas?*

R — *Oui, nous dansons à l'hôtel.*

1. Ils restent là jusqu'au 5 janvier? (est-ce que)

   Q — Est-ce que vous restez là jusqu'au 5 janvier?

   R — Non, nous restons là jusqu'au 3 janvier.

2. Ils jouent au tennis? (n'est-ce pas)

   Q — Vous jouez au tennis, n'est-ce pas?

   R — Non, nous ne jouons pas au tennis.

3. Ils mangent à l'hôtel? (inversion)

   Q — Mangez-vous à l'hôtel?

   R — Oui, nous mangeons à l'hôtel.

4. L'hôtel s'appelle "Réveillon"? (est-ce que)

   Q — Est-ce que l'hôtel s'appelle "Réveillon"?

   R — Non, l'hôtel s'appelle "Le Petit Dru".

5. Ils nagent? (inversion)

   Q — Nagez-vous?

   R — Oui, nous nageons.

---

**20** During your stay in France as an exchange student, your meddling aunt calls you to find out how things are going. Answer her in the negative using **ne... pas**, **ne... rien**, **ne... jamais**, **ne... plus** or **ne... personne**.

**Modèle:** —Tu es toujours malade?

—Non, je __ne__ suis __plus__ malade.

—Tu as besoin de quelque chose?

—Non, merci. Je __n'__ ai besoin de __rien__.

—Il pleut toujours là-bas?

—Non, il __ne__ pleut __plus__. Il fait du soleil maintenant.

—Il fait chaud alors?

—Non, c'est l'hiver. Il ___ne___ fait ___jamais___ chaud ici en hiver.

—Tout le monde est à la maison?

—Non, il ___n'___ y a ___personne___ ici.

—Tu as peur?

—Non, je ___n'___ ai ___pas___ peur.

—Attends! Il y a un bruit. Il y a quelqu'un à la porte?

—Non, il ___n'___ y a ___personne___ à la porte.

---

**21** | Your little cousin helped you get ready for a party you are giving . . . but she forgot a lot of things! Write complete sentences to name the 9 things that are missing. You will find the names of the missing items in the grid.

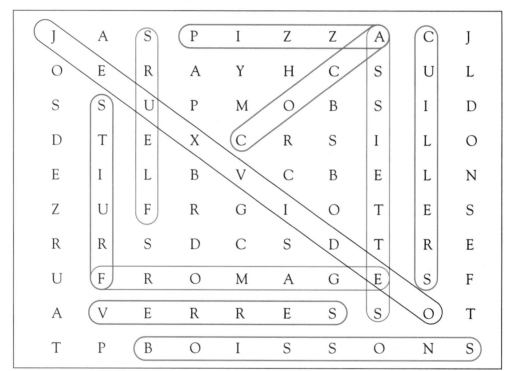

Modèle: *Il n'y a pas de jeux vidéo.*

1. Il n'y a pas de fleurs.
2. Il n'y a pas de verres.
3. Il n'y a pas d'assiettes.
4. Il n'y a pas de cuillers.
5. Il n'y a pas de pizza.

6. Il n'y a pas de fromage.
7. Il n'y a pas de fruits.
8. Il n'y a pas de boissons.
9. Il n'y a pas de coca.

**22** Remember the reading strategies you learned in the first level of *C'est à toi!* — skimming, scanning, using headings and illustrations, using cognates, asking the five "W" questions. Apply them as you read about **la Normandie**, one of the most well-known French provinces, and then answer the questions that follow.

# Basse-Normandie

À travers la Basse-Normandie, c'est l'image traditionnelle de la Normandie qui vient immédiatement à l'esprit, illustrée par Deauville, Cabourg, Honfleur et le Pays d'Auge.
Patrie de Guillaume le Conquérant, célèbre par la tapisserie de Bayeux, le Mont-Saint-Michel et les plages du débarquement, cette région attire chaque weekend des milliers de Parisiens.
L'appel de l'air du large, vif et iodé, est irrésistible, les plages de sables y sont immenses. Comment y résister… ? C'est difficile, mais les amateurs de calme, de verdure, de randonnée de toute sorte sauront trouver le chemin de la campagne normande. Sa richesse est dans l'air, un air de qualité.

### QUELQUES RENDEZ-VOUS

- 1ᵉʳ juin/fin septembre : son et lumière à la basilique de Lisieux (Calvados).
- 5, 6 et 7 juin : cérémonies du 40ᵉ anniversaire du Débarquement.
- 9 et 10 juin : festival folklorique et assemblée internationale de yachts, courses de voiliers, Cherbourg (Manche).
- 9 et 10 juin : rassemblement international de montgolfières, Balleroy (Calvados).
- 23 juin : concours international d'attelage, Deauville (Calvados).
- juillet/août : festival des Heures Musicales au Mont-Saint-Michel (Manche).
- juillet/août : festival musical des soirées normandes (Calvados).
- 13 juillet : départ de la course du Figaro, Granville (Manche).
- 23 juillet : pèlerinage à travers les grèves, Mont-Saint-Michel (Manche).
- 2/13 août : festival d'été au château de Gratot (Manche).
- 31 août/9 septembre : septembre musical de l'Orne.
- 1ʳᵉ semaine de septembre : festival du cinéma américain, Deauville (Calvados).
- 7, 8 et 9 septembre : foire millénaire de la Sainte-Croix, Lessay (Manche).
- 30 septembre : pèlerinage d'automne au Mont-Saint-Michel (Manche).

### ACCUEIL, INFORMATION, RÉSERVATION
***Comité Interrégional de tourisme :*** 46, av. Foch, 27000 Évreux. Tél. : 02.32.31.03.03.

***Calvados CDT :*** place du Canada, 14000 Caen. Tél. : 02.31. 86.53.30.

***gîtes :*** 4, promenade Madame de Sévigné, 14039 Caen cédex. Tél. : 02.31.84.47.19 : réservation : 02.31.82.71.65.
***Manche ODT :*** préfecture, 50009 Saint Lô. Tél. : 02.33. 57.46.50. - ***gîtes :*** même adresse. Tél. : 02.33.57.52.80.
***Orne CDT*** et ***gîtes :*** 60. rue Saint Blaise, BP 50, 61002 Alençon cédex. Tél. : 02.33. 26.74.00.
***Accueil de France :*** place Saint Pierre, 14300 Caen. Tél. : 02.31.86.27.65.

***INFORMATIONS ROUTIÈRES :*** *02.99.50.73.93 à Rennes.*

### MÉTÉO :
***Informations générales :*** 02.31.74.74.74 à Caen - 02.33. 29.37.97 à Alençon.
***Informations mer :*** 02.31.88.84.22 à Deauville - 02.33. 44.45.00 à Cherbourg - 02.33.50.10.00 à Granville.

Workbook

1.  What are three cities that illustrate the traditional image of Normandy?

    Deauville, Cabourg and Honfleur illustrate the traditional image

    of Normandy.

2.  What word describes the size of the sandy beaches of Normandy?

    The word **immenses** describes the size of the sandy beaches.

3.  How long does the sound and light festival at Lisieux run?

    The sound and light festival at Lisieux runs from the first of June

    through the end of September.

4.  When and where is the international yacht meet, folk festival and sailboat race?

    The international yacht meet, folk festival and sailboat race is at

    Cherbourg on June 9–10.

5.  When is the international meeting of hot-air balloonists?

    The international meeting of hot-air balloonists is on June 9–10.

6.  During which two months are the music festivals at Mont-Saint-Michel and in Calvados?

    These music festivals are in July and August.

7.  When and where is the American film festival?

    The American film festival is in Deauville the first week of September.

8.  What day is the fall pilgrimage to Mont-Saint-Michel?

    The fall pilgrimage to Mont-Saint-Michel is September 30.

9.  Where can you write to get more information about all of these events?

    You can write to the Comité Interrégional de tourisme, 46, av. Foch,

    27000 Évreux, France.

10. If you want information about the sea, what numbers can you call?

    If you want information about the sea, you can call 02.31.88.84.22,

    02.33.44.45.00 or 02.33.50.10.00.

# *Unité 2*       *Paris*

## *Leçon A*

**1** Your father asks about the occupations of some of your friends' parents. Tell him, using information from *Les Pages Jaunes* as well as other terms for occupations that you have learned. The first answer is done for you.

### BOUCHERIES (Détail)

**BOUCHERIE VIRET**
1 r Centrale ALBIGNY ANNECY-LE-VIEUX ----- 04 50 23 31 35
**CADET Joël** 8 chem Colline ANNECY-LE-VIEUX ---- 04 50 23 78 98
**CHENU Fernand** 2 av Stand - - - - - - - - - - - - 04 50 57 15 15
**EPELY Marius** 24 r Carnot - - - - - - - - - - - - 04 50 45 05 79
**GERVEX Robert** r Noblemaire TALLOIRES ----- 04 50 60 71 33
**LESPINASSE Henri** 20 av Chambéry - - - - - - - 04 50 45 09 39
**MIÈGE Pierre** 10 av Gambetta - - - - - - - - - 04 50 23 74 11
**PÉRILLAT Roger** 75 av Genève - - - - - - - - - - 04 50 57 01 06

**PERNOUD Gilbert**
BOUCHER-CHARCUTIER-TRAITEUR
43 bis av Genève - - - - - - - - - - - - - - - - - 04 50 57 04 78
**POMMIER Pierre** 19 r Jean-Jacques Rousseau ----- 04 50 45 06 71

### PÂTISSERIES

*Boulangerie - Pâtisserie*
*Glaces*
**A. FALCONNET**
1, passage des Pinsons
74000 ANNECY-LE-VIEUX
**04.50.23.08.30**

### COIFFEURS POUR HOMMES ET DAMES

*COIFFURE SOINS*
jacqueline *Elle* *Lui*
*frère* **04.50.23.17.87**

### FLEURISTES

**B. DAVIET**
Votre fleuriste
**Téléflor**

AUX
PERCE NEIGE
FLEURISTE
DÉCORATEUR
2, RUE DES FLEURS
(AVENUE DE CRAN)
ANNECY
TÉL 04.50.57.69.43
TÉLÉFLEURS

*Le Nymphéa*
Hervé VISÉRY
FLEURISTE - DÉCORATEUR
**Tél. 04.50.57.67.86**
Toutes compositions florales
Transmission TÉLÉFLOR-INTERNATIONAL
2, avenue de Genève — ANNECY

### INFIRMIERS À DOMICILE

**DUMUR Marie-Christine** 4 r Fabien Calloud ----- 04 50 67 22 66
**FANTIN Michelle** ham les Tilleuls ANNECY-LE-VIEUX - 04 50 66 18 14
**FAVRE Frédérique** 6 bd St Bernard de Menthon ---- 04 50 51 70 22
**GIROD Laurette** 14 r Pré Longé ANNECY-LE-VIEUX - 04 50 23 49 86
**HODE Élisabeth** 48 av Genève - - - - - - - - - - 04 50 57 10 34
**LAMANT Bruno** 8 r Guillaume Fichet - - - - - - - 04 50 51 12 13
**LOROLE Mireille** 16 Clos Buisson ANNECY-LE-VIEUX - 04 50 23 43 20
**MARTIN Mireille** 10 chem Colline ANNECY-LE-VIEUX 04 50 23 25 24
**POIRIER Jeannine** 4 r Jasmins MEYTHET - - - - - - 04 50 22 04 34

### INFORMATIQUE (Matériels et Fournitures Divers)

*SYSTIA* ◄ *Informatique*

**MICRO-INFORMATIQUE**
**PROFESSIONNELLE**
*Bureau d'études*
*diffusion de matériels*
*et de logiciels*
13, avenue Berthollet
74000 ANNECY    Tél. 04 50 97 09 89

### PROFESSEURS

**DAHI Odette** 10 r Henry Bordeaux - - - - - - - - - 04 50 23 72 25
**JUGE Henri** 49 av Novel - - - - - - - - - - - - - 04 50 57 05 98
**ROUDE Paul** 16 av Novel - - - - - - - - - - - - - 04 50 23 65 80

### SPORT ARTICLES ET VÊTEMENTS (Détail)

**MONTAGNE - SKI - RANDONNÉE**
(peut-être) le magasin le
moins cher de France
**TARIF GRATUIT SUR DEMANDE**
Route d'Argonay - 74370 PRINGY
Sortie Autoroute Annecy-Nord
**Tél. 04.50.27.12.15**

— Qu'est-ce que le père de David fait?

— David Daviet? Il est _____*fleuriste*_____.

— Et la mère de Salim?

— Salim Fantin? Sa mère est _____infirmière_____.

— Et le père de Nicolas Roude est pharmacien?

— Non, il est _____professeur_____. C'est sa mère, pas son père, qui est _____pharmacienne_____.

— Est-ce que la mère de Delphine travaille toujours au Monoprix?

— Oui, elle est _____caissière_____, mais son nouveau mari travaille pour Systia.

— Il est _____informaticien_____?

— Oui.

— Et Jacqueline Frère, la belle-mère de Manu?

— Elle est _____coiffeuse_____.

— Le père de Bruno Viret, il est boulanger, n'est-ce pas?

— Non, il est _____boucher_____.

— C'est le père de Sandrine Pernoud qui est boucher?

— Oui, il est _____boucher-charcutier_____.

— Qu'est-ce que le père d'Olivier Viséry fait?

— Il est _____fleuriste_____.

— Et les parents d'Annick Falconnet?

— Ils sont _____boulangers-pâtissiers_____.

— Et est-ce que ce sont les Arnaud qui ont le magasin de sport à Pringy?

— Oui, les Arnaud sont _____commerçants_____.

**2** | Read the story of Cinderella (**Cendrillon**). Then use at least two adjectives from the list that follows to embellish each description.

| | | |
|---|---|---|
| âgé | égoïste | paresseux |
| aimable | facile | pauvre |
| beau | grand | pénible |
| content | heureux | riche |
| de taille moyenne | jeune | sympa |
| difficile | méchant | triste |
| diligent | mince | |

**Modèle:**

Le père de Cendrillon prend une nouvelle femme qui n'aime pas Cendrillon.

*Elle est âgée, pénible, difficile et méchante.*

1.  Cendrillon travaille toujours à la maison.

    Elle est aimable / triste / pauvre / belle / mince / diligente.

2.  Ses nouvelles belles-sœurs ne font rien.

    Elles sont pénibles / égoïstes / paresseuses / méchantes.

3. Au bal, Cendrillon danse avec un beau jeune homme.

Il est riche / sympa / aimable.

4. À minuit, Cendrillon rentre. Le jour après, le jeune homme cherche Cendrillon.

Il est triste / diligent.

5. Le jeune homme arrive à la maison de Cendrillon. Le jeune homme aime Cendrillon. Ils sont amoureux.

Ils sont heureux / contents / riches / beaux / aimables.

**3** Find 12 words or expressions in the letter grid. Then use them to fill in the blanks in the dialogue.

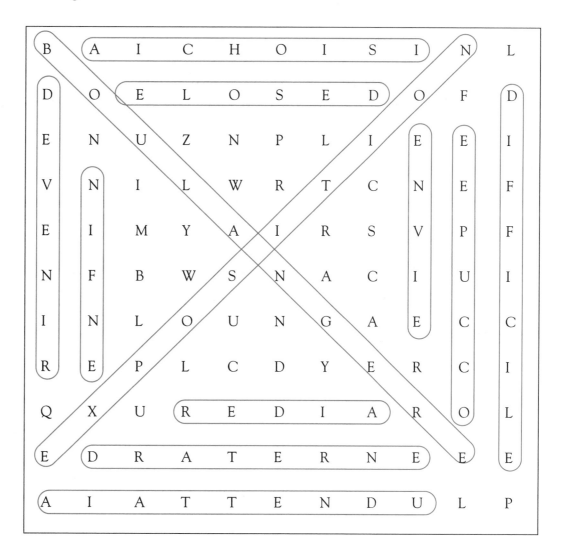

```
B   A   I   C   H   O   I   S   I   N   L
D   O   E   L   O   S   E   D   O   F   D
E   N   U   Z   N   P   L   I   E   E   I
V   N   I   L   W   R   T   C   N   E   F
E   I   M   Y   A   I   R   S   V   P   F
N   F   B   W   S   N   A   C   I   U   I
I   N   L   O   U   N   G   A   E   C   C
R   E   P   L   C   D   Y   E   R   C   I
Q   X   U   R   E   D   I   A   R   O   L
E   D   R   A   T   E   R   N   E   E   E
A   I   A   T   T   E   N   D   U   L   P
```

Stéphanie:  Tu es là? _____**Enfin**_____ ! J'_____**ai attendu**_____ un quart d'heure.

Abdoul:  _____**Désolé**_____ , mais je suis _____**en retard**_____ parce que je viens
d'_____**aider**_____ ma tante dans sa boulangerie dans le Quartier latin. Ma tante
est très sympa, mais elle est toujours trop _____**occupée**_____ .

Stéphanie:  C'est _____**difficile**_____ d'être _____**boulangère**_____ . Moi, je pense devenir fleuriste.
J'_____**ai choisi**_____ de faire une première ES.

Abdoul:  Moi, je voudrais _____**devenir**_____ commerçant. Mais maintenant, je voudrais finir
mes devoirs pour le cours de dessin; donc, j'ai _____**envie**_____ d'aller à cette
_____**exposition**_____ . Allons-y!

Workbook

**4** Circle the letter of the best answer to each question.

1. What is the fastest and cheapest way to get around Paris?

   a. by bus      (b.) by subway      c. by car

2. What does a sign saying **sortie** indicate?

   a. an entrance      (b.) an exit      c. a platform

3. What structure features wrought iron and glass, characteristic of the Art Nouveau style?

   a. **Panthéon**      b. **Louvre**      (c.) **Grand Palais**

4. In relation to the Seine River, where is the **Quartier latin** located?

   a. on the Right Bank      (b.) on the Left Bank      c. on the **île de la Cité**

5. Who is the patron saint of Paris?

   (a.) Geneviève      b. Voltaire      c. Émile Zola

6. In what building are the tombs of many famous French people?

   a. **Petit Palais**      b. **musée des Beaux-Arts**      (c.) **Panthéon**

7. Which program do French high school students choose who are interested in languages, literature, math or art?

   a. the **bac S**      (b.) the **bac L**      c. the **bac ES**

**5** Yasmine meets Michel and several friends at a café in Paris. He tells her who has just done what. Use **venir de** and one of the expressions in the list that follows to complete Michel's part of the conversation. The first answer is done for you.

toucher un chèque de voyage      demander une limonade      arriver

manger des sandwichs      acheter des livres en français      entrer dans le café

Yasmine: Salut, tout le monde! Est-ce que je suis en retard?

Michel: Non, nous *venons d'arriver* .

Yasmine: Éliane et moi, nous venons de passer une heure à la librairie.

Michel: Ah oui? Je vois! Vous venez d'acheter des livres en français .

Yasmine: Jérôme n'est pas là?

Michel: Si! Il vient d'entrer dans le café .

Yasmine: Michel, qu'est-ce que tu vas prendre? Tu as soif?

Michel: Oui, j'ai soif. Je viens de demander une limonade .

Yasmine: Cécile et Nadine ont envie de prendre quelque chose?

Michel: Non, elles viennent de manger des sandwichs .

Yasmine: Moi, je vais prendre un steak-frites, une salade, du fromage et une tarte aux fraises.

Michel: Ah, voilà pourquoi tu es riche! Tu viens de toucher un chèque de voyage .

**6** Yvette's schedule in Paris is so full that everything has become mixed up. Help her sort out what happened yesterday from what's going on right now and what is going to happen tomorrow by putting an "X" in the appropriate column.

|  | hier | aujourd'hui | demain |
|---|:---:|:---:|:---:|
| **Modèle:** J'ai perdu mon sac à dos. | x |  |  |
| 1. J'ai perdu mon billet d'avion. | x |  |  |
| 2. Je vais visiter le musée Picasso. |  |  | x |
| 3. Kevin a trouvé mon billet. | x |  |  |
| 4. J'ai téléphoné à mes parents. | x |  |  |
| 5. Kevin et Alain vont aller au Grand Palais. |  |  | x |
| 6. Nous avons visité le Louvre. | x |  |  |
| 7. On a mangé des crêpes. | x |  |  |
| 8. Claire et Karine ont attendu les garçons. | x |  |  |
| 9. Nous allons faire du shopping dans le Quartier latin. |  |  | x |
| 10. Nous visitons le musée d'Orsay. |  | x |  |
| 11. Nous avons écouté de la musique dans le métro. | x |  |  |
| 12. On va acheter des affiches. |  |  | x |
| 13. Nous parlons français. |  | x |  |
| 14. Valérie a choisi des CDs. | x |  |  |
| 15. Claire et Simone vont demander un plan de Paris. |  |  | x |
| 16. Je n'ai pas regardé la télé. | x |  |  |
| 17. Kevin et Alain mangent de la pizza. |  | x |  |
| 18. Les garçons ont fini leurs sandwichs. | x |  |  |
| 19. On a attendu le métro. | x |  |  |

**7** Everyone is talking about what they did in Paris and what gifts and souvenirs they bought. Use the appropriate **passé composé** form of the indicated verb and rewrite the dialogue.

Abdoul:　Moi, je / trouver / ces affiches au musée d'Orsay.

Vincent:　Combien est-ce qu'elles / coûter?

Abdoul:　Six euros.

Karine:　Où est-ce que vous / trouver / cette petite tour Eiffel?

Sabrina:　On / acheter / cette petite tour Eiffel près de la Seine.

Nathalie:　Regardez. Nous / acheter / ces tee-shirts près du Louvre.

Sabrina:　Vous / visiter / le Louvre?

Nathalie:　Non, Claire et Valérie / visiter / l'arc de triomphe et moi, je / passer / deux heures dans les boutiques.

Vincent:　Mais tu / perdre / ton sac à dos et ton argent hier!

Nathalie:　Simone / trouver / mon sac à dos ce matin sous mon lit.

— Moi, j'ai trouvé ces affiches au musée d'Orsay.

— Combien est-ce qu'elles ont coûté?

— Six euros.

— Où est-ce que vous avez trouvé cette petite tour Eiffel?

— On a acheté cette petite tour Eiffel près de la Seine.

— Regardez. Nous avons acheté ces tee-shirts près du Louvre.

— Vous avez visité le Louvre?

— Non, Claire et Valérie ont visité l'arc de triomphe et moi, j'ai passé deux heures dans les boutiques.

— Mais tu as perdu ton sac à dos et ton argent hier!

— Simone a trouvé mon sac à dos ce matin sous mon lit.

**8** | Imagine that you spent a morning in Paris. Write five sentences about what places you visited and what things you did while you were there. Then compare your paragraph with another student's and write two things that you didn't do that the other person did. Finally, write one sentence telling something you both did.

Modèle: _J'ai fini le petit déjeuner à sept heures._

Answers will vary.

_____

_____

_____

_____

_____

_____

_____

_____

_____

_____

_____

_____

Je n'ai pas _____

_____

_____

_____

Mon ami(e) et moi, nous avons _____

_____

_____

_____

# Leçon B

**9** | **A.** Use letters from the word **tableau** to complete each word and form an arrow.

1. On vient ici pour danser.
2. On met le dîner ici.
3. C'est bon quand on a soif.

<u>b</u>  <u>a</u>  <u>l</u>
<u>t</u>  <u>a</u>  <u>b</u>  <u>l</u>  <u>e</u>
<u>e</u>  <u>a</u>  <u>u</u>

Use letters from the expression **objet d'art** to complete each word and form a rectangle.

1. On porte ça quand il fait froid.
2. J'aime beaucoup! J'....
3. On vend ça à la pâtisserie.

<u>b</u>  <u>o</u>  <u>t</u>  <u>t</u>  <u>e</u>
<u>a</u>  <u>d</u>  <u>o</u>  <u>r</u>  <u>e</u>
<u>t</u>  <u>a</u>  <u>r</u>  <u>t</u>  <u>e</u>

Use letters from the word **sculpture** to complete each word and form a triangle.

1. On voit des voitures ici.
2. Les parents aiment ___ enfant.
3. Il fait mauvais! Il....

<u>r</u>  <u>u</u>  <u>e</u>
<u>l</u>  <u>e</u>  <u>u</u>  <u>r</u>
<u>p</u>  <u>l</u>  <u>e</u>  <u>u</u>  <u>t</u>

**B.** Who is important in your life? Next to each of the sun's rays, write the name of a friend or family member that the word makes you think of. Remember that a masculine or feminine person is indicated by the form of most adjectives.

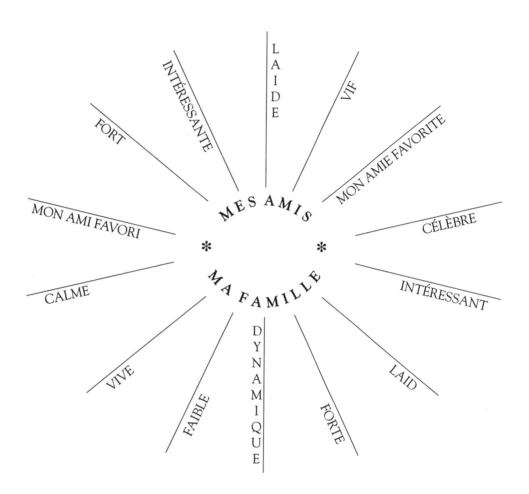

Answers will vary.

**10** Mathieu and Sabrina are trying to decide which museum to visit next. Read the dialogue, then answer the questions based on the dialogue and the brochure.

 **Programme des expositions**
printemps-été

**Musée des antiquités nationales**
78100 Saint-Germain-en-Laye · Tél. 01-34-51-53-65
tous les jours, sauf le mardi, de 9 h 45 à 12 h
et de 13 h 30 à 17 h 15
Prix d'entrée : 2,29€, 1,22€ le dimanche (exposition seule 1,52€)

### Premiers paysans
### de la France méditerranéenne

26 février - 18 mai
Comment l'homme, jusqu'alors chasseur, devint agri-
culteur, il y a huit mille ans. Comment naquit la
civilisation rurale dans la France méridionale.
L'homme commence à transformer la nature par
une série d'innovations techniques et culturelles :
déboisement, domestication des animaux et des
plantes, polissage de la pierre et cuisson des pote-
ries, organisation sociale en villages, culte d'une
divinité féminine symbolisant le cycle agraire.

**Musée Rodin**
77, rue de Varenne, Paris 7ᵉ · Tél. 01-47-05-01-34
tous les jours, sauf le mardi, de 10 h à 11 h 30 et de 14 h 30 à 17 h
Prix d'entrée : 2,24€, 1,14€ le dimanche

### Photographies anciennes appartenant à Auguste Rodin
9 avril - 7 juillet

### Jean Clareboudt
**Sculpteur contemporain**
juin - septembre

### Marbres de Rodin
**dans les collections du musée**
automne

**Musée national de la coopération franco-
américaine**
Château de Blérancourt (25 km au Nord-Est de Compiègne) ·
Tél. 03-23-39-60-16
tous les jours, sauf le mardi de 10 h à 12 h et de 14 h à 17 h
Prix d'entrée : 1,52€, 0,76€ le dimanche

### L'Amérique au temps de la Statue
### de la Liberté

à partir du 25 mai
Plus historique qu'artistique, cette exposition pré-
sentera des œuvres des collections du musée ayant
trait à la vie américaine dans la seconde moitié du
xixᵉ siècle.

 **Programme des expositions**
printemps-été

**Galeries nationales du Grand Palais**
Avenue Winston Churchill, place Clemenceau
et avenue du Général-Eisenhower, Paris 8ᵉ · Tél. 01-42-89-54-10
tous les jours, sauf le mardi, de 10 h à 20 h, le mercredi jusqu'à 22 h
Prix d'entrée : 3,81€, 2,74€ le samedi

### De Rembrandt à Vermeer
**les peintres hollandais
au Mauritshuis de La Haye**

21 février - 30 juin
Organisée avec le Mauritshuis, cette
exposition réunit soixante chefs-d'œuvre
de ce musée : *la Vue de Delft, Jeune
Fille au turban* de Vermeer, le *Chardon-
neret* de Carel Fabritius ainsi que des
tableaux de Hals, Rembrandt, Metsu,
Potter (...) témoignent de la diversité,
de l'énergie et de la créativité de la
peinture hollandaise du siècle d'or.

Vermeer, *Jeune Fille au turban*
La Haye, musée Mauritshuis

### La sculpture française
### au XIXᵉ siècle

12 avril - 28 juillet
Cette exposition permet de redécou-
vrir l'originalité de la sculpture d'une
époque si féconde qu'elle fut appelée
« le siècle de la ville sculptée ». 250
sculptures de tous matériaux et de
toutes dimensions complétées par des
vues anciennes d'ateliers donnent lieu
à une étude approfondie des techniques, des sources de la création et des
principaux courants stylistiques illus-
trés par des artistes tels Houdon,
Carpeaux, Rodin, Maillol...
Cette exposition bénéficie du soutien
d'IBM.

Degas, *La grande danseuse*
Paris, musée d'Orsay

### Rasa : les neuf visages de l'art indien
13 mars - 16 juin

Exposition organisée par l'Association française d'action artistique
Tél. 01-45-53-82-05

Sabrina: Allons au musée Rodin. J'aime beaucoup la sculpture. Et on peut voir aussi ses vieilles photos.

Mathieu: Moi, je trouve les tableaux plus intéressants que les sculptures.

Sabrina: Mais nous venons de visiter le Louvre et le musée Picasso.

Mathieu: Alors, il y a une exposition au musée des antiquités. On peut voir comment le métier de fermier a commencé.

Sabrina: Je n'aime pas trop l'histoire.

Mathieu: Tiens! On peut aller au Grand Palais. Là, tu peux regarder les sculptures, et moi, je peux voir les tableaux célèbres de Frans Hals, Rembrandt et Vermeer. Regarde cette photo de la *Jeune Fille au turban* de Vermeer. Elle est mystérieuse comme *la Joconde*, non?

Sabrina: Mais elle est moins calme que la sculpture de Degas. Regarde!

Mathieu: Alors, on y va?

Sabrina: Oui, bien sûr! On y va!

1. Qui aime la sculpture? Sabrina aime beaucoup la sculpture.

2. Où est-ce qu'on peut voir des photos d'un artiste célèbre? On peut voir des photos d'un artiste célèbre au musée Rodin.

3. Pourquoi est-ce que Mathieu ne veut pas aller au musée Rodin? Mathieu ne veut pas aller au musée Rodin parce qu'il préfère les tableaux.

4. Quels musées est-ce qu'ils ont déjà visités? Ils ont déjà visité le Louvre et le musée Picasso.

5. Pourquoi est-ce que Sabrina ne veut pas visiter le musée des antiquités? Sabrina ne veut pas visiter le musée des antiquités parce qu'elle n'aime pas trop l'histoire.

6. Où vont-ils aller? Pourquoi? Ils vont aller au Grand Palais parce qu'il y a des expositions de tableaux et de sculptures.

7. Qui est-ce que Mathieu trouve mystérieux? Mathieu trouve la *Jeune Fille au turban* mystérieuse.

8. C'est aujourd'hui samedi. Combien est-ce que ça va coûter? Ça va coûter 2,74 euros.

**11** Match each French expression in Column A with its description in English in Column B.

**A**

1. Réunion
2. *la Joconde*
3. le Marais
4. un hôtel
5. Picasso
6. Renaissance
7. le Piton de la Fournaise

**B**

a. a period in history marked by a return to classical ideas

b. a Spanish artist whose paintings can be grouped into periods

c. an island off the coast of Africa

d. a seventeenth century mansion

e. an active volcano on Réunion

f. a **quartier** of Paris

g. a famous Renaissance painting

**12** Complete the description of an evening at a Parisian restaurant. Fill in each blank with the correct form of **mettre**, **prendre** or **voir**.

Il est 17h00. Au restaurant Les Beaux Arts, on _____met_____ les tables. Les serveurs _____voient_____ qu'il n'y a pas de fleurs, donc ils cherchent des vases et ils _____mettent_____ les vases de fleurs sur les tables. M. Victor est content; il _____voit_____ que tout va bien. Il _____prend_____ une boisson. Mais les serveurs ne _____prennent_____ rien. Ils travaillent encore!

Ce soir je _____mets_____ mon nouveau pantalon pour sortir au restaurant avec Jacques. Nous _____mettons_____ souvent nos vêtements favoris pour sortir. Nous allons au restaurant Les Beaux Arts. Nous _____prenons_____ le métro. Quand nous arrivons, je _____vois_____ qu'il est déjà 19h30.

M. Victor: Bonsoir, Messieurs-Dames. _____Mettez_____ vos manteaux là-bas, s'il vous plaît.

Le serveur: Qu'est-ce que vous _____prenez_____?

Jacques: Est-ce que tu _____vois_____ quelque chose que tu veux _____prendre_____? Moi, je _____prends_____ le steak-frites, comme toujours.

Renée: Euh... moi, je _____prends_____ le poulet et une salade.

**13** Write complete sentences in the **passé composé** to tell about Pierre's frustrating experience in Paris last Sunday.

**Modèle:** un bon livre / lire / du Louvre / je / sur les tableaux

*J'ai lu un bon livre sur les tableaux du Louvre.*

1. vouloir voir / après / je / *la Joconde*

   Après j'ai voulu voir *la Joconde.*

2. dimanche / faire beau / il

   Dimanche il a fait beau.

3. alors, je / le métro / prendre / au musée / ne... pas

   Alors, je n'ai pas pris le métro au musée.

4. mes chaussures favorites / mettre / je

   J'ai mis mes chaussures favorites.

5. je / deux heures à marcher / devoir passer

   J'ai dû passer deux heures à marcher.

6. trop en retard / être / je

   J'ai été trop en retard.

7. ne... pas / je / pouvoir entrer / dans le musée

   Je n'ai pas pu entrer dans le musée.

8. voir / ce tableau célèbre / ne... pas / je

   Je n'ai pas vu ce tableau célèbre.

9. très mal aux pieds / je / avoir / lundi

   Lundi j'ai eu très mal aux pieds.

**14** You just finished a whirlwind tour of Paris. You didn't have time to keep a journal, so you simply jotted down brief notes. You are now on the plane on your way home and are trying to piece together the events of the week, based on your notes. Under the appropriate day in your journal, write complete sentences describing what you and your friends did or didn't do. Use the **passé composé** in your sentences. The first sentence is written for you.

*lundi*
*Kristi, Alex, Shawn et moi - prendre des photos de l'arc de triomphe*
*Kristi - faire du shopping dans les librairies du Quartier latin, acheter un beau livre sur Paris*
*Alex et Shawn - vouloir visiter le musée d'Orsay*
*moi - avoir envie de visiter le Louvre*
*Shawn et moi - visiter le musée Rodin*

*mardi*
*Alex et moi - vouloir visiter le Louvre*
*Alex et Angelina - prendre le métro et visiter la Villette*
*Shawn, Kristi et moi - voir Paris du deuxième étage de la tour Eiffel*
*moi - lire le livre de Kristi*

*vendredi*
*nous - prendre le petit déjeuner à l'hôtel*
*tout le monde - chercher mon passeport*
*une caissière du restaurant au Louvre - téléphoner*
*mon passeport - être sur une table dans le restaurant au Louvre*
*moi - quitter l'hôtel à 10h00 pour aller au Louvre et puis à l'aéroport*

*jeudi*
*Shawn - visiter le musée d'Orsay*
*Alex et Kristi - faire les magasins*
*moi - ne pas avoir envie de faire du shopping*
*moi - chercher mon passeport*

*mercredi*
*on - voir* la Joconde *au Louvre*
*on - prendre le déjeuner au musée*
*Shawn, Kristi et moi - acheter des cartes postales*
*moi - perdre mon passeport*
*moi - devoir mettre mon passeport sur la table dans ma chambre*
*moi - ne pas voir mon passeport dans ma chambre*

**lundi** *Kristi, Alex, Shawn et moi, nous avons pris des photos de l'arc de triomphe.*

Kristi a fait du shopping dans les librairies du Quartier latin. Elle a acheté un beau livre sur Paris. Alex et Shawn ont voulu visiter le musée d'Orsay. J'ai eu envie de visiter le Louvre. Shawn et moi, nous avons visité le musée Rodin.

**mardi**

Alex et moi, nous avons voulu visiter le Louvre. Alex et Angelina ont pris le métro et ont visité la Villette. Shawn, Kristi et moi, nous avons vu Paris du deuxième étage de la tour Eiffel. J'ai lu le livre de Kristi.

**mercredi**

On a vu "la Joconde" au Louvre. On a pris le déjeuner au musée. Shawn, Kristi et moi, nous avons acheté des cartes postales. J'ai perdu mon passeport. J'ai dû mettre mon passeport sur la table dans ma chambre. Je n'ai pas vu mon passeport dans ma chambre.

**jeudi**

Shawn a visité le musée d'Orsay. Alex et Kristi ont fait les magasins. Je n'ai pas eu envie de faire du shopping. J'ai cherché mon passeport.

**vendredi**

Nous avons pris le petit déjeuner à l'hôtel. Tout le monde a cherché mon passeport. Une caissière du restaurant au Louvre a téléphoné. Mon passeport a été sur une table dans le restaurant au Louvre. J'ai quitté l'hôtel à 10h00 pour aller au Louvre et puis à l'aéroport.

**15** Comment on any five articles of clothing that you see in a chic Paris boutique. Follow the examples, using a demonstrative adjective and other descriptive words that accurately express your thoughts.

Modèles: *Je veux acheter cette belle robe blanche.*

*Ce pantalon beige est trop grand pour mon frère.*

1. Answers will vary.

2.

3.

4.

5.

**16** Imagine that you have been asked to submit a painting to the **Salon de Paris** this year. Do a quick sketch of your painting within the frame provided. Three elements must be clearly perceptible in your drawing: a house, a tree and some flowers. Composition and style are up to you.

When you finish, compare your sketch to a classmate's. Then write five complete sentences, each using the comparative form of an adjective. In the first three sentences, compare various elements in your own drawing. In the last two sentences, compare your sketch to your classmate's. Make sure that you use each comparative form once: **plus... que, moins... que** and **aussi... que.** You may want to use some of the adjectives in the following list.

| | | | | |
|---|---|---|---|---|
| beau | intéressant | moche | grand | fort |
| riche | joli | vieux | petit | laid |
| calme | dynamique | vif | faible | |

**Modèles:** *Mes fleurs sont plus belles que mon arbre.*

*Le tableau de Paul est moins dynamique que mon tableau.*

Answers will vary.

_____

_____

_____

_____

**17** Read the descriptions of ten of Paris' 120 museums and then answer the questions that follow.

Une sélection limitée parmi les quelque 120 musées de Paris et de sa proche banlieue.

LOUVRE, place du Carrousel, 1er, 9 h 45 à 17 h. (18 h 30 pour la partie centrale). F. mar. et fériés. Six musées en un seul : antiquités gréco-romaines, égyptiennes, orientales, beaux-arts français, italiens, flamands et d'autres encore. En vedette, la "Victoire de Samothrace", la "Vénus de Milo" et "la Joconde".

MUSÉE GRÉVIN, 10, bd Montmartre 75009, de 13 h à 19 h. À travers les siècles, les personnages célèbres (en mannequins de cire grandeur nature), jusqu'au Président de la République et au Pape. Nouveau Musée du Forum des Halles, de 10 h 30 à 18 h 45, dimanche et fêtes de 13 h à 19 h 15. Un spectacle animé son et lumière qui fait revivre le Paris 1900.

MUSÉE D'ART ET D'ESSAI, 13, av. du Prés.-Wilson, 16e, 9 h 45 à 17 h 15. F. mar. Braque, Rouault, Seurat, Signac, objets et sculptures Art Nouveau.

MUSÉE PICASSO, Hôtel Salé, 5, rue Thorigny 75003 PARIS 01.42.71.25.21. Ouvert de 9 h 45 - 17 h (sauf Mardi). Le Mercredi 9 h 45 - 22 h.

GRAND ET PETIT PALAIS, Place Clemenceau, 8e. Métro : Champs-Élysées-Clemenceau. Construit pour l'Expo. Universelle de 1900, le Grand Palais abrite, outre le Palais de la Découverte, les plus prestigieuses expositions temporaires. Le Petit Palais, pour les collections des Beaux-Arts de la Ville de Paris, plus quelques Bonnard (10 h - 17 h 30. F. lundi et fériés).

CENTRE POMPIDOU (BEAUBOURG), 120, rue Saint-Martin, 4e, 01.42.77.12.33. 12 h à 22 h (ouvert dès 10 h dimanche). F. mar. Le Musée National d'Art Moderne de l'après-impressionnisme à nos jours, plus des expositions temporaires, concerts, ballets, cinémathèque.

CITÉ DES SCIENCES ET DE L'INDUSTRIE - LA VILLETTE, 30, avenue Corentin-Cariou, Métro Porte de la Villette, de 14 h à 22 h sauf le lundi. Tous les aspects de l'aventure humaine dans la Cité du XXIe siècle. La GÉODE.

ORANGERIE, Jardin des Tuileries, 1er, 9 h 45 à 17 h 15. F. mar. et fériés. Exposition permanente de la collection Jean Walter et Paul Guillaume, et les salles des "Nymphéas" de Claude Monet.

RODIN, 77, rue de Varenne, 7e. Les plus belles sculptures de l'artiste avec "Le Baiser", "Le Penseur", "Balzac", "Victor Hugo" et "Les Bourgeois de Calais" dans une parfaite demeure du XVIIIe et son jardin d'origine.

MUSÉE DES ARTS DÉCORATIFS, 107-109, rue de Rivoli, Métro Palais Royal, de 12 h 30 à 18 h 30 sauf lundi et mardi, de 11 h à 17 h le dimanche. Collections permanentes et expositions.

1.  Where can you browse for 12 hours on Sundays viewing post-impressionist paintings?

    You can view post-impressionist paintings at the **Centre Pompidou**.

    _____

2.  What sculptor's works are displayed in a garden?

    Rodin's works are displayed in a garden.

3.  What two museums were built for the 1900 World's Fair?

    The **Grand et Petit Palais** were built for the 1900 World's Fair.

    _____

4.  What is the telephone number of the museum that contains the *Portrait de Dora Maar*?

    The telephone number of the **musée Picasso** is 01.42.71.25.21.

5.  What museum showcases a city in the 21st century?

    The **Cité des Sciences et de l'Industrie** showcases a city in the

    21st century.

6.  What are the hours of the museum that contains *la Joconde*?

    The hours of the **Louvre** are from 9:45 A.M. until 5:00 P.M.

    _____

7.  What is the name of Paris' wax museum?

    The **musée Grévin** is Paris' wax museum.

8.  Which artist's paintings of water lilies are in the **Orangerie**?

    Monet's paintings of water lilies are in the **Orangerie**.

    _____

9.  What museum is actually six museums in one?

    The **Louvre** is actually six museums in one.

10. What museum should you visit if you're interested in the Art Nouveau style?

    You should visit the **musée d'art et d'essai** if you're interested in

    Art Nouveau.

11. In what public park is the **Orangerie**?

    The **Orangerie** is in the **jardin des Tuileries**.

    _____

12. Which museum is on the **rue de Rivoli** near the **Louvre**?

    The **musée des arts décoratifs** is near the **Louvre**.

    _____

## Leçon C

**18** **A.** Use the illustrations to help you fill in the crossword puzzle.

**B.** Choose one of the animals in Activity 18A and write at least three sentences in French about it. You might want to write about what kind of animal it is, what it looks like, what it eats or some of its other characteristics.

Modèle:
*J'aime les dauphins. Ils sont gris et longs.*
*Ils mangent des poissons. Ils aiment nager.*

Answers will vary.

**19** You are planning a visit to the **parc zoologique de Paris**. Use the brochure to find information to answer the questions that follow.

C'EST À TOI!
Level Two

1. À quelle heure est-ce qu'on peut entrer dans le parc?

   On peut entrer dans le parc à 9h00.

2. À quelle heure est-ce qu'il faut quitter le parc?

   Il faut quitter le parc à 18h00 ou à 18h30 en été et à 17h00 ou à 17h30

   en hiver.

3. Combien coûte l'entrée?

   L'entrée coûte six euros dix.

4. Quelles sont les deux stations de métro près du parc?

   Les deux stations de métro sont Porte Dorée et St-Mandé-Tourelle.

5. Quels animaux est-ce qu'on peut voir?

   On peut voir des tigres, des lions et des éléphants.

6. À quelle heure est-ce qu'on donne à manger aux pélicans?

   On donne à manger aux pélicans à 14h15.

7. Où est-ce qu'on peut manger?

   On peut manger au restaurant.

8. Est-ce qu'on peut acheter des livres au parc?

   Oui, il y a une librairie.

**20** | Answer the following questions.

1. What is the name of the system of express trains in and around Paris?

   The **R.E.R.** is the system of express trains in and around Paris.

2. What impressionist artist is famous for his paintings of the small farms near the city of Pontoise?

   Camille Pissarro is famous for his paintings of the small farms near the

   city of Pontoise.

3. What is the French word for "woods"?

   The French word for "woods" is **bois**.

4. What are two attractions in the **bois de Vincennes**?

   The **bois de Vincennes** contains a large zoo and a medieval fortress.

5. What are three things that Parisians can do in the **bois de Boulogne**?

   In the **bois de Boulogne** Parisians can bike, go for a walk or go

   horseback riding.

6. What are the names of two theme parks near Paris that appeal to children?

   Disneyland Paris and the **parc Astérix** are two theme parks that
   appeal to children.

7. In what Parisian park do children often sail toy boats in a pond?

   Children often sail toy boats in a pond in the **jardin des Tuileries.**

---

**21** **A.** Imagine that you write an advice column. Suggest to the following people something they should or should not do.

**Modèle:** une petite fille de dix ans qui n'est pas forte en maths *Étudie plus!*

1. un nouveau professeur de français   Answers will vary.

2. deux nouveaux élèves à votre école _____

3. un petit garçon timide _____

4. une fille qui va sortir avec un garçon pour la première fois _____

5. deux parents qui choisissent un cadeau pour leur fils _____

6. un(e) de vos ami(e)s qui regarde trop la télé _____

**B.** You and your friend are in Paris for only one day. Suggest four things that you can do together.

**Modèle:** *Allons au bois de Vincennes.*

1. Answers will vary.

_____

2. _____

_____

3. _____

_____

4. _____

_____

**22** Write a complete sentence in French to tell which of the following animals corresponds to each description.

**Modèles:** le plus grand

*La girafe est le plus grand animal.*

le plus aimable

*Le chien est l'animal le plus aimable.*

1. le plus petit

   Answers will vary.

2. le plus intelligent

3. le plus beau

4. le plus méchant

5. le plus laid

6. le plus fort

7. le plus calme

**23** You've already learned about **la Villette**, a popular cultural center and ultramodern science museum in the northeastern part of Paris. Use the note-taking techniques you learned in **Sur la bonne piste** to complete a graphic organizer on page 52 based on an article about **la Villette**. Remember to look for cognates in order to help you understand what you are reading. Also, pay attention to different parts of speech and word families.

### Le musée Explora

Au milieu de la Villette se trouve ce musée technologique. Vous avez le choix d'un ensemble d'expositions interactives et audiovisuelles. Il y a même des jeux pour vous intéresser aux sciences dans ce musée énorme et impressionnant de 30.000 m².

### Techno cité

Ce centre est ouvert aux adolescents et aux adultes. Il vous présente le monde fascinant de la technologie par l'observation, la fabrication et la manipulation d'objets réels. Des découvertes vous attendent à chaque instant.

### Le Musée de la musique

Si vous aimez la musique, ce musée est pour vous. Vous pouvez voir près de 900 instruments de musique, apprendre l'histoire de la musique ou apprécier des tableaux sur le thème de la musique. (Commentaires en français et en anglais)

### Le Centre équestre

Pour découvrir l'équitation, la Villette vous propose son Centre équestre. Chevaux et poneys sont à votre disposition. Simple amateur ou véritable jockey, vous trouverez votre plaisir à côté de ces animaux majestueux. Nous proposons aussi des stages d'équitation pour apprendre à faire du cheval. (Tous âges, à partir de 4 ans)

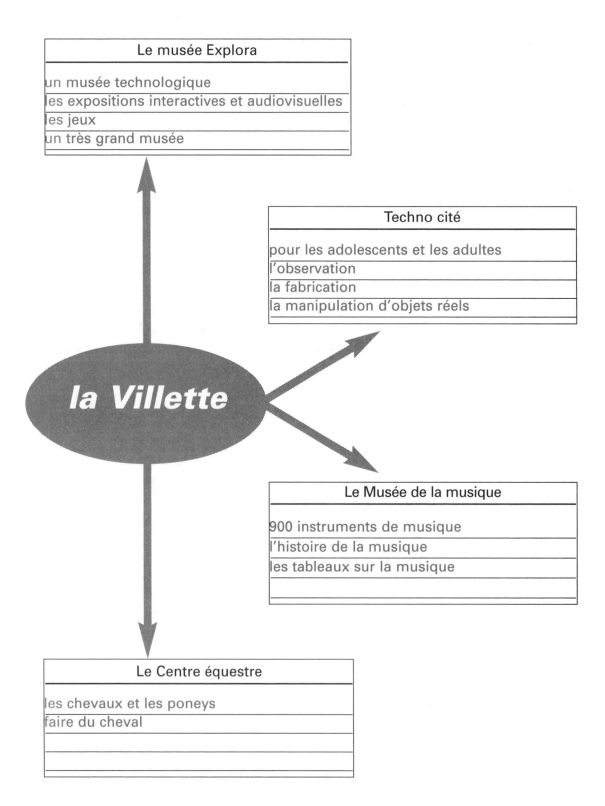

**Le musée Explora**

un musée technologique
les expositions interactives et audiovisuelles
les jeux
un très grand musée

**Techno cité**

pour les adolescents et les adultes
l'observation
la fabrication
la manipulation d'objets réels

*la Villette*

**Le Musée de la musique**

900 instruments de musique
l'histoire de la musique
les tableaux sur la musique

**Le Centre équestre**

les chevaux et les poneys
faire du cheval

# Unité 3 En France

**1** | **A.** Circle the geographic features that are found in the region where you live. Cross out those that are not.

la campagne   un lac

une cascade   une montagne

un étang    un océan

un fleuve    une rivière

une île

Answers will vary.

**B.** Imagine that you drove north from the area where you live. Number the geographic features you have circled in Activity 1A in the order in which you encountered them. For example, if, while driving north, you came first to a river, write "1" next to **un fleuve**. Then write a short paragraph describing your trip and the order in which you saw things, using expressions such as **d'abord, et puis** and **enfin**. Finally, compare what you have written with a classmate to check the sequencing of your geographic features.

Answers will vary.

_____

_____

_____

_____

_____

_____

_____

_____

_____

_____

_____

C'EST À TOI!
Level Two

**2** | Write the appropriate preposition to complete each of the following sentences.

1. Les Caumartin vont à Marseille _____ en _____ voiture.

2. Jean-François va à Disneyland Paris _____ en _____ train.

3. Ousman et Éric sont sur le lac. Ils sont _____ en _____ bateau.

4. Je cherche une cascade dans la montagne. Je suis _____ à _____ pied.

5. Xavier, Claire et Caroline sont au-dessus de l'océan Atlantique. Ils voyagent _____ en _____ avion.

6. Marie-Alix va au centre commercial _____ en _____ autobus.

7. Jacques fait le tour de l'île _____ à _____ vélo.

**3** | During Gérard's trip to France, he made sketches in his travel journal to remember each day's activities. Write the letter of the appropriate description under each sketch.

1. __F__  3. __G__  5. __D__  7. __C__

2. __A__  4. __B__  6. __E__

A. Le jour après nous sommes allés à la campagne à vélo.

B. Un matin j'ai pris le petit déjeuner au café avec mon correspondant et ses copains.

C. J'ai passé un bon séjour en famille.

D. Jeudi mon correspondant et moi, nous avons traversé le lac en bateau.

E. Le dernier jour nous sommes allés à la montagne.

F. Le premier jour nous avons fait le tour de la ville en voiture.

G. Puis, on a pris le train pour visiter un château célèbre.

**4** Complete each sentence with the appropriate expression from the following list.

Marseille              **Provence**

orange                 **château d'If**

**SNCF**               Aix-en-Provence

**pont du Gard**       two

1. The _____**SNCF**_____ is the French national railway company, known for the efficiency of its trains.

2. There are _____two_____ classes of trains in France.

3. Before boarding a train, travelers must stamp their tickets in an _____orange_____ machine.

4. _____Marseille_____ is France's largest port.

5. The novel *The Count of Monte-Cristo* takes place in the _____**château d'If**_____.

6. Many Roman monuments are still standing in the province of _____**Provence**_____.

7. The _____**pont du Gard**_____ is a two thousand-year-old aqueduct.

8. The artist Cézanne spent much of his life in _____Aix-en-Provence_____, a city famous for its numerous fountains.

**5** **A.** You want to go swimming in the river with friends, but you don't have a ride yet. You call a friend to find out if you can ride with her. Complete the following conversation with appropriate forms of the verb **partir**.

—À quelle heure est-ce qu'on _____part_____ pour la rivière?

—Henri et moi, nous _____partons_____ dans une demi-heure, mais Marie et Julien _____partent_____ tout de suite.

—Je peux aller avec vous?

—Oui, bien sûr.

—Vous _____partez_____ d'où?

—Nous _____partons_____ d'ici. Henri va être chez moi à 14h00. Tu _____pars_____ bientôt, n'est-ce pas?

—Oui, je _____pars_____ tout de suite.

**B.** You've recently moved out of town. Complete the following dialogue to find out just how much things have changed when you come back to visit an old friend. Use appropriate forms of the verb **sortir**.

—Avec qui _____ sors _____-tu maintenant?

—Avec Patrick. Pourquoi?

—Avec Patrick? Non! Il ne _____ sort _____ plus avec Chantal?

—Non. Chantal _____ sort _____ avec Dimitri maintenant. Ils _____ sortent _____ souvent.

—Vraiment? Alors, Dimitri et Alice ne _____ sortent _____ plus ensemble?

—Non, non.

—Alors, Patrick et toi, vous _____ sortez _____ ce weekend?

—Oui, nous _____ sortons _____ ce soir. Nous allons au cinéma.

---

**6** | In each sentence, write the appropriate form of the helping verb **être** in the first blank. In the second blank, add the correct agreement to the past participle, if necessary.

**Modèle:** Jeanne et Lucie _____ *sont* _____ mont *ées* à leur chambre.

1. Les Sabatini _____ sont _____ venu s _____ d'Europe.

2. Monique _____ est _____ entré e _____ dans la salle à manger.

3. Leurs fils _____ sont _____ devenu s _____ médecins.

4. Alain et moi, nous _____ sommes _____ parti s _____ tout de suite.

5. Je _____ suis _____ allé (e) _____ au fast-food après les cours.

6. Pierre _____ est _____ revenu_____ à dix heures.

7. Quand est-ce que vous _____ êtes _____ parti (e)s _____, vous deux?

8. Laure et Valérie _____ sont _____ arrivé es _____ en retard.

9. À quelle heure _____ es _____-tu rentré e _____, Véronique?

---

**7** | Your parents had to be out of town for a few days. When they return, your mother has a lot of questions. Answer her in complete sentences to tell what you've done or haven't done during the past few days.

—Tes copains et toi, est-ce que vous êtes sortis samedi soir?

—Oui, nous sommes sortis samedi soir.

—Où est-ce que vous êtes allés?

— Answers will vary.

—À quelle heure est-ce que vous êtes partis?

— Answers will vary.

—Est-ce que vous êtes rentrés après minuit?

— Answers will vary.

—Est-ce que tu es resté(e) à la maison dimanche?

— Answers will vary.

—Est-ce que tu es allé(e) à l'école lundi?

—Oui, je suis allé(e) à l'école lundi.

—Est-ce que tu es arrivé(e) à l'école à l'heure?

— Answers will vary.

—À quelle heure est-ce que tu es revenu(e) de l'école?

— Answers will vary.

**8** Everyone is talking about what they did during the long weekend. Complete the dialogue by writing the appropriate **passé composé** forms of the indicated verbs.

Jérôme: Salut, les filles! Qu'est-ce que vous _____ avez fait _____ (faire) pendant le weekend?

Chloé: Nous _____ sommes allées _____ (aller) à la plage. Nous _____ sommes parties _____ (partir) après les cours vendredi.

Jérôme: Vraiment? Vous _____ avez vu _____ (voir) Florence et Christine? Elles aussi, elles _____ sont allées _____ (aller) à la plage?

Chloé: Non, mais nous _____ avons vu _____ (voir) Étienne et Louis. On _____ a mangé _____ (manger) ensemble.

Jérôme: Tiens! Nicolas! Qu'est-ce que tu _____ as fait _____ (faire) pendant le weekend?

Nicolas: Moi, je _____ suis allé _____ (aller) au lac avec Jean-François et Christophe.

Jérôme: Quand est-ce que vous _____ êtes rentrés _____ (rentrer)?

Nicolas: Nous _____ sommes rentrés _____ (rentrer) dimanche matin parce que Jean-François _____ est devenu _____ (devenir) malade. Et toi, qu'est-ce que tu _____ as fait _____ (faire)?

Jérôme: Je _____ suis resté _____ (rester) chez moi parce que j'_____ ai dû _____ (devoir) travailler samedi et dimanche. Pas de chance!

**9** Look at the brochure that advertises hotels in the Eldorador chain. Identify which ones have certain features by naming the city and country where each hotel is located.

## CHOISISSEZ VOTRE ELDORADOR

| | | Saint-Tropez, France | Cádiz, Espagne | Calabria, Italie | Agadir, Maroc |
|---|---|---|---|---|---|
| **PORTRAIT** | • Ville la plus proche | 5 km | 2 km | 15 km | 1 km |
| | • Durée du transfert | | 2 h | 45 mn | 30 mn |
| | • Nombre de chambres | 75 | 182 | 240 | 200 |
| | • Bungalow/chambre | C | C | C/B | B |
| | • Chauffage ou climatisation | ch | ch | | ch |
| | • Boutique/presse | • | • | • | • |
| | • Animaux acceptés | • | | • | • |
| **REPAS** | • Pension complète/demi-pension | DP | PC | DP/PC | PC |
| | • Restaurant à la carte | 1 | | 1 | 4 |
| **PLAGE** | • Sable fin/galets | SF | G | SF | SF |
| | • Distance | 2 km | 800 m | 400 m | 200 m |
| | • Les pieds dans l'eau | | | | |
| Piscine | | • | • | • | • |
| **TENNIS** | • Nombre de courts | 2 | 1 | 8 | 16 |
| | • Leçons/stages | L | L | L | L/S |
| **PLANCHE À VOILE** | • Nombre de planches environ | | | 10 | 10 |
| | • Leçons/stages | | | L | L |
| **SPORTS DIVERS** | • Plongée | • | | | |
| | • Voile | | | • | |
| | • Ski nautique | • | | • | |
| | • Équitation | • | | • | • |
| | • Tir à l'arc | • | | | • |
| | • Mini-golf | | | • | |
| Cours d'initiation à la langue | | | • | • | • |
| Vidéo | | • | | • | • |
| Discothèque | | | | | |
| **MINI ELDO** | • Aire de jeux | • | • | • | |
| | • Table d'hôte | | • | • | |
| | • Bain pour enfants | • | • | • | |

**Modèle:** Il y a quatre restaurants dans l'hôtel Eldorador *à Agadir au Maroc* .

1. On est à deux kilomètres de la plage à l'hôtel Eldorador à Saint-Tropez en France .

2. Il n'y a pas d'animaux à l'hôtel Eldorador à Cádiz en Espagne .

3. Il y a 240 chambres dans l'hôtel Eldorador à Calabria en Italie .

4. On est très près de la plage à l'hôtel Eldorador à Agadir au Maroc .

5. Il y a des cours d'italien à l'hôtel Eldorador à Calabria en Italie .

6. Il y a quatre sports à l'hôtel Eldorador à Saint-Tropez en France .

7. Il y a seulement un sport à l'hôtel Eldorador à Cádiz en Espagne .

8. On est à un kilomètre de la ville à l'hôtel Eldorador à Agadir au Maroc .

**10** **A.** Rank the reading materials from the least to the most time-consuming to read. Write "1" by the item you can read the fastest and continue until "7" for the item that takes you the longest.

       __3__ une bande dessinée      __5__ un journal

       __1__ un message            __7__ un roman

       __2__ une carte              __4__ une lettre

       __6__ un magazine

**B.** Fill in each blank with the name of the animal that fits the description. Then unscramble the circled letters to discover the name of the animal in the last sentence.

1. Béatrice fait du sport. Elle fait souvent du c h (e) v a l.

2. Le (l) a p i n a de longues oreilles.

3. On voit souvent ensemble M. le c (o) q et Mme la p (o) u l e. Elle donne des œufs.

4. La v a c (h) e donne du lait.

5. Le (c) a n a r d adore nager.

6. "Bê" est le bruit que font le m o u t o (n) et la (c) h è v r e.

7. On voit l e c o c h o n dans le film *Babe*.

**11** After reading in the textbook about Isabelle's vacation on a friend's farm, recreate the letter that she sent to her parents. Add the missing words.

près de Lille, le 17 juillet

Mes chers parents,

    Salut! Je suis très _____contente_____ chez Béatrice. Nous sommes très _____occupées_____ —le travail de fermier est _____dur_____! Nous prenons le _____petit déjeuner_____ très tôt, puis nous nourrissons les _____animaux_____. Il y a beaucoup de _____vaches_____, de _____chevaux_____ et de _____cochons_____ dans la ferme.

    Le _____premier_____ jour nous avons fait du _____cheval_____, le _____deuxième_____ jour nous avons nettoyé la _____grange_____, et le _____troisième_____ jour nous avons envoyé des _____cartes postales_____ et des _____lettres_____.

    Je pense souvent à vous deux, mes très chers parents.

Grosses bises,<br>Isabelle

**12** | Match each French expression on the left with its description in English on the right.

<u> b </u>  1. amicalement

<u> c </u>  2. brasseries

<u> a </u>  3. Lille

<u> f </u>  4. Monsieur

<u> e </u>  5. Flandre

<u> d </u>  6. Chère Béatrice

a. the most important city in northeastern France

b. an expression to close a letter to someone you know well

c. small restaurants that serve food and beer

d. an expression to start a letter to someone you know well

e. a province in northeastern France

f. an expression to begin a business letter

**13** | After Isabelle writes to her parents from the farm, her mother sends Isabelle a letter. Write the missing words, using the correct form of the verb **dormir** in the first paragraph and **lire** in the second.

Paris, le 22 juillet

Ma très chère Isabelle,

     Merci pour ta lettre du 17 juillet. Tu es contente de ta vie dans la ferme, c'est formidable! Tu travailles dur! Est-ce que tu _____dors_____ bien après ton travail? Béatrice et toi, est-ce que vous _____dormez_____ huit heures? C'est peut-être difficile dans la ferme parce que les animaux _____dorment_____ près de la maison et le coq ne _____dort_____ pas beaucoup. Il commence très tôt le matin. Moi, je _____dors_____ toujours bien. Ton père et moi, nous _____dormons_____ sept ou huit heures.

     Ici la vie est très calme. Ton père, tes frères et moi, nous _____lisons_____ un peu après le dîner chaque soir. Je _____lis_____ "Les animaux du Québec," un très bon livre. Tu _____as_____ déjà _____lu_____ ce livre, n'est-ce pas? Qu'est-ce que tu _____lis_____ maintenant? Est-ce que Béatrice et toi, vous _____lisez_____ souvent? Ton frère Robert _____lit_____ l'histoire de Babe, un cochon très sympa. Ton père et ton petit frère Benjamin _____lisent_____ ensemble l'histoire de Babar, le petit éléphant.

À bientôt, ma chère fille,

Ta maman

**14** **A.** A storm is coming, so Monsieur le Fermier rounds up all the animals to bring them into the barn. Using ordinal numbers, write the order in which the animals arrive.

1. Le _____premier_____ animal à arriver est _____le lapin_____.

2. Le _____deuxième_____ animal à arriver est _____le cheval_____.

3. Le _____troisième_____ animal à arriver est _____la chèvre_____.

4. Le _____quatrième_____ animal à arriver est _____le coq_____.

5. Le _____cinquième_____ animal à arriver est _____la poule_____.

6. Le _____sixième_____ animal à arriver est _____le cochon_____.

7. Le _____septième_____ animal à arriver est _____la vache_____.

8. Le _____huitième_____ animal à arriver est _____le dindon_____.

9. Le _____neuvième_____ animal à arriver est _____le mouton_____.

10. Le _____dixième_____ animal à arriver est _____le canard_____.

**B.** Your parents recently took a trip to Egypt. Write ordinal numbers to tell which day of their trip your parents did each activity, according to their itinerary.

Circuit 10 jours | 9 nuits | Pension complète

# ÉGYPTE

*Croisière au pays des Dieux*

À partir de **989€**

**Départ pour le Caire**

1er jour : transfert à Paris. Vol vers le Caire. Nuit à l'hôtel (catégorie luxe).

**Le Caire - Les pyramides**

2e jour : le matin : Memphis et Sakkarah. Déjeuner. Après-midi, plateau de Guizeh : le sphinx, les pyramides. Transfert en wagons-lits.

**Louxor - Karnak**

3e jour : arrivée à Louxor. Embarquement. Bateau de luxe. Visite des temples de Louxor et Karnak.

**Thèbes**

4e jour : le matin : la nécropole de Thèbes, après-midi libre.

**Esna - Edfou**

5e jour : croisière vers Esna. Temple du dieu Khnom. Continuation vers Edfou : le temple d'Horus. Arrivée Kom Ombo.

**Kom Ombo - Assouan**

6e jour : visite de Temples à Kom Ombo. Continuation vers Assouan. Felouque autour de l'île éléphantine.

**Assouan**

7e jour : visite du haut barrage d'Assouan. Le temple de Philaë. Temps libre. Départ en wagons-lits.

**Le Caire**

8e jour : arrivée au Caire. Journée libre en pension complète. Hôtel de luxe.

**Le Caire**

9e jour : le matin, visite du musée national. Déjeuner. Visite des mosquées d'Ibn Touloun et Sultan Hassan. Les souks de Khan et Khalili.

**Le Caire et retour**

10e jour : transfert à l'aéroport. Envol pour Paris. Retour vers votre point de départ.

*Formatités:*
*Passeport + visa (27,44€ ).*

*Devises: livre égyptienne.*
*Se munir d'euros ou dollars US.*

**Modèle:** *Le quatrième jour* ils ont visité Thèbes.

1. Le sixième jour     ils sont allés à Kom Ombo et Assouan.

2. Le neuvième jour     ils ont visité le musée national au Caire.

3. Le troisième jour     ils ont fait une promenade en bateau.

4. Le premier jour     ils sont partis de Paris.

5. Le deuxième jour     ils ont été à Memphis et Sakkarah.

6. Le dixième jour     ils sont allés du Caire à Paris.

7. Le septième jour     ils ont visité Assouan.

8. Le huitième jour     ils sont arrivés au Caire d'Assouan.

9. Le cinquième jour     ils sont arrivés à Kom Ombo.

**15** Thierry has just told his best friend, Bruno, about a weird dream he had. Bruno retells Thierry his dream to make sure Thierry understood. Write the plural forms of the underlined words in Thierry's corrections.

Bruno: Bien, tu as mis ton manteau et un <u>vieux</u> <u>chapeau</u>...

Thierry: J'ai mis mon manteau et deux _____vieux_____ _____chapeaux_____, un dans la main et l'autre sur la tête.

Bruno: Puis, tu as pris l'<u>autobus</u> jusqu'au pont.

Thierry: Vraiment, j'ai pris deux _____autobus_____.

Bruno: Et tu as lu un <u>journal</u> dans l'autobus.

Thierry: J'ai lu deux _____journaux_____, *le Figaro* et *le Monde*.

Bruno: Tu es allé à pied jusqu'au lac où tu as vu un <u>beau</u> <u>bateau</u> <u>marron</u>.

Thierry: J'ai vu deux _____beaux_____ _____bateaux_____ _____marron_____.

Bruno: Et tu as vu un <u>animal</u> dans chaque bateau.

Thierry: Pas juste un. J'ai vu beaucoup d'_____animaux_____.

Bruno: Des lions, des tigres et des ours?

Thierry: Non, des _____animaux_____ de la ferme, comme des vaches, des chèvres, des cochons, des poules.

Bruno: Un <u>cheval</u>?

Thierry: Deux _____chevaux_____.

Bruno: Et les animaux ont donné un <u>cadeau</u> à leurs amis?

Thierry: Des _____cadeaux_____.

Bruno: Les poules ont donné un œuf <u>frais</u>, j'imagine?

Thierry: Elles ont donné douze œufs _____frais_____ à tout le monde.

Bruno: Et la vache a donné du lait au chat?

Thierry: Non, pas de lait, un chapeau. Un <u>nouveau</u> <u>chapeau</u> <u>orange</u>. Non, deux. Deux _____nouveaux_____ _____chapeaux_____ _____orange_____. Sympa, non? Oh, zut! C'est là où j'ai mis les œufs!

**16** Create an economic map of France. Write each item in the list at the bottom of the page next to the name of the province or city with which it is associated.

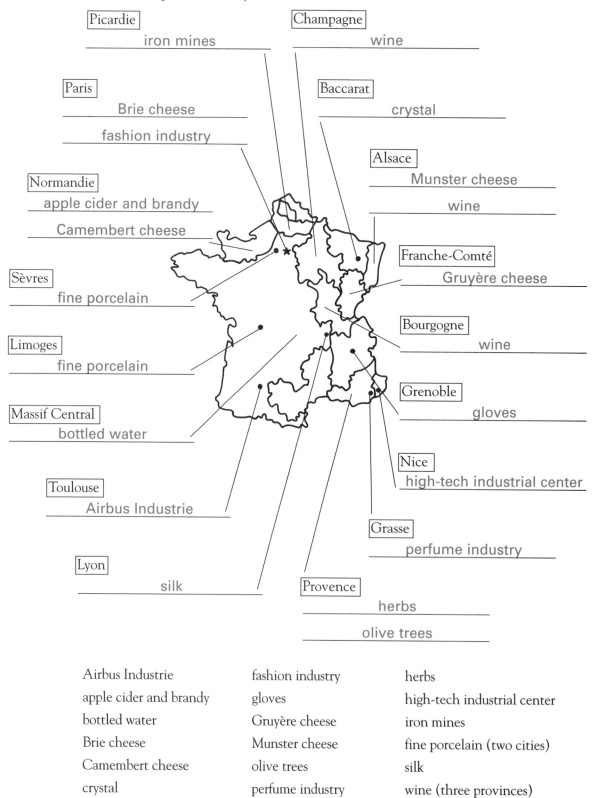

Picardie — iron mines

Champagne — wine

Paris — Brie cheese / fashion industry

Baccarat — crystal

Alsace — Munster cheese / wine

Normandie — apple cider and brandy / Camembert cheese

Franche-Comté — Gruyère cheese

Sèvres — fine porcelain

Bourgogne — wine

Limoges — fine porcelain

Grenoble — gloves

Massif Central — bottled water

Nice — high-tech industrial center

Toulouse — Airbus Industrie

Grasse — perfume industry

Lyon — silk

Provence — herbs / olive trees

| | | |
|---|---|---|
| Airbus Industrie | fashion industry | herbs |
| apple cider and brandy | gloves | high-tech industrial center |
| bottled water | Gruyère cheese | iron mines |
| Brie cheese | Munster cheese | fine porcelain (two cities) |
| Camembert cheese | olive trees | silk |
| crystal | perfume industry | wine (three provinces) |

**Leçon C**

**17** To find out what's waiting for you at a restaurant, write the new food-related expression from this lesson that corresponds to each clue.

1. Je suis une boisson rouge ou blanche. Je suis ___le vin___.

2. On prend ___le potage___ dans un bol.

3. Nous habitons dans le jardin. Nous sommes ___les escargots___.

4. On peut regarder ___le menu___ sur la fenêtre ou sur la porte d'un restaurant français.

5. Je suis une boisson chaude. Je suis ___le thé___.

6. On finit son dîner. Puis, on demande ___l'addition___.

7. Nous venons de l'océan. Nous sommes ___les fruits de mer___, ___les moules___ et ___le saumon___.

8. Nous sommes froides et en morceaux. Nous sommes bonnes pour la santé. Nous sommes ___les crudités___.

9. Je suis blonde. Ma sœur est brune. Nous sommes des desserts. Je suis ___la crème caramel___ et ma sœur est ___la mousse au chocolat___.

**18** Referring to the dialogue in which Mme Monterrand took her niece to lunch, decide if the sentences that follow are true or false. If the sentence is true, write **V** for **vrai**. If it is false, write **F** for **faux**. Rewrite any false sentences to make them true.

___V___ 1. Il y a beaucoup de monde dans le restaurant.

_____

___V___ 2. Il faut avoir une réservation dans ce restaurant.

_____

___V___ 3. Mme Monterrand recommande le menu.

_____

___F___ 4. Elles ont le choix entre deux entrées.

Elles ont le choix entre trois entrées.

___V___ 5. Zohra choisit la mousse au chocolat.

_____

    F     6. Mme Monterrand va prendre la mousse au chocolat aussi.

Mme Monterrand va prendre la crème caramel.

    F     7. Elles vont commencer avec un café.

Elles vont terminer avec un café.

    F     8. Elles passent une demi-heure au restaurant.

Elles passent une heure et demie au restaurant.

    F     9. Leurs deux repas vont coûter 12,20 euros.

Leurs deux repas vont coûter 24,40 euros.

    V     10. Elles mangent très bien.

## 19 | Circle the best answer to each question.

1. What is the second largest city in France?

    a. Paris            (b.) Lyon            c. Marseille

2. Which river does not flow through Lyon?

    a. Saône           (b.) Loire            c. Rhône

3. Which famous French chef owns a restaurant outside Lyon?

    a. Julia Child       b. **les mères**       (c.) Paul Bocuse

4. What is the name of the cooking method by which food is prepared with light sauces to bring out the texture and flavor of the ingredients?

    (a.) **nouvelle cuisine**    b. **haute couture**     c. **haute cuisine**

5. What is the French expression for ordering food items individually from the menu?

    a. **à prix fixe**       (b.) **à la carte**       c. **service compris**

6. What is the French expression for ordering a complete meal at one set price?

    (a.) **à prix fixe**       b. **à la carte**       c. **service compris**

## 20 | A.

There's a festival going on in a nearby town and you are trying to find someone to go with you. Say that people want to go, but they can't because they have something else they have to do.

**Modèle:** —Tu vas à la fête, Georges? (rester à la maison)

— *Je veux bien, mais je ne peux pas. Je dois rester à la maison.*

—Vous allez sortir, Jeannette et Isabelle? (faire le dîner)

— Nous voulons bien, mais nous ne pouvons pas. Nous devons faire le dîner.

—Et toi, Mériam? (finir mes devoirs)

— Je veux bien, mais je ne peux pas. Je dois finir mes devoirs.

—Tes frères vont venir? (travailler)

— Ils veulent bien, mais ils ne peuvent pas. Ils doivent travailler.

—Est-ce qu'Hélène va venir? (attendre son père à l'aéroport)

— Elle veut bien, mais elle ne peut pas. Elle doit attendre son père à l'aéroport.

—Nicolas va venir? Il aime les fêtes. (jouer au basket)

— Il veut bien, mais il ne peut pas. Il doit jouer au basket.

—Alors, il y a Anne et Adja. Est-ce qu'elles vont venir? (faire les courses)

— Elles veulent bien, mais elles ne peuvent pas. Elles doivent faire les courses.

**B.** You and your friend Annick are organizing a dinner party for eight guests. Your mother reminds you of how much work it involves. Take notes to remember what you need to do. Begin each sentence with **Il faut**.

**Modèles:** —Vous n'avez pas choisi le menu?
*Il faut choisir le menu.*

—Vous allez nettoyer la maison?
*Il faut nettoyer la maison.*

1. —Vous n'avez pas choisi la date et l'heure du dîner?

   Il faut choisir la date et l'heure du dîner.

2. —Vous n'avez pas invité vos amis?

   Il faut inviter nos amis.

3.  —Vous n'avez pas acheté la nourriture pour le repas?

    Il faut acheter la nourriture pour le repas.

4.  —Vous allez faire l'entrée, le plat principal et le dessert?

    Il faut faire l'entrée, le plat principal et le dessert.

5.  —Vous allez mettre la table?

    Il faut mettre la table.

6.  —Vous allez nettoyer la cuisine après?

    Il faut nettoyer la cuisine après.

**21** Suggest a complete meal to each person, selecting an appropriate item from each category.

| Entrées | Plats principaux | Boissons |
|---|---|---|
| crudités | coq au vin | eau minérale |
| escargots | quiche avec des haricots verts | lait |
| fruits de mer | saumon à la sauce hollandaise | thé |
| pâté | poulet | vin |

**Modèle:** Tu parles à un garçon américain.

*Prends des crudités, du poulet et du lait.*

1.  Tu parles à ton amie qui mange seulement des légumes.

    Prends des crudités, de la quiche avec des haricots verts et du thé.

2.  Tu parles à quelqu'un qui joue au tennis.

    Prenez des escargots, du poulet et de l'eau minérale.

3.  Tu parles à ton oncle qui adore les plats français.

    Prends du pâté, du coq au vin et du vin.

4.  Tu parles à deux amis qui aiment bien les fruits de mer.

    Prenez des fruits de mer, du saumon à la sauce hollandaise et du lait.

5.  Et toi? Qu'est-ce que tu prends?

    Answers will vary.

**22** | M. Maurice Mouton has invited his animal friends to a buffet. As they look at the table, they notice food(s) they never eat. Identify one forbidden food for each animal.

bouillabaisse    crudités    fruits de mer    jambon    poulet

coq au vin    escargots    haricots verts    omelette    steak

**Modèle:** Christophe le coq *ne prend jamais de coq au vin* .

1. Valérie la vache  ne prend jamais de steak .
2. Pierre le poisson  ne prend jamais de bouillabaisse .
3. Charles le cochon  ne prend jamais de jambon .
4. Pauline la poule  ne prend jamais de poulet .
5. Lancelot l'oiseau  ne prend jamais d'omelette .

**23** | Brian wrote to the Department of Tourism to ask for information about the French city of Cahors and its surrounding area. Unfortunately, his new puppy found the reply and now it's in little pieces. Only the body of the letter is intact and has been reproduced below. Rewrite the six missing pieces of information, putting them in their correct position on the following page.

Le Directeur
J. de CHALAIN

Veuillez croire, Monsieur, à l'expression de nos sentiments distingués.

Cahors, le 12 mars 2002

Suite à votre lettre du 3 mars nous avons le plaisir de vous remettre ci-joint une documentation touristique sur notre département et en particulier les horaires de train de Paris à Cahors ainsi que des dépliants sur Cahors et Saint-Céré.

Également jointes les brochures groupes de la Chambre de Commerce et de Loisirs Accueils ainsi que la liste des hôtels restaurants. En ce qui concerne le temps du mois de juin il est très agréable, juillet est chaud et sec.

Nous restons bien entendu à votre disposition pour tout renseignement complémentaire.

Monsieur Brian ANTON
1073 Tara Circle
Medford, Oregon 97504
USA

Monsieur,

Comité Départemental du Tourisme du Lot
107, quai Cavaignac
46001 Cahors

le lot
Une surprise à chaque pas

Comité Départemental du Tourisme du Lot

107, quai Cavaignac — Cahors, le 12 mars 2002

46001 Cahors

Monsieur Brian ANTON

1073 Tara Circle

Medford, Oregon 97504

USA

Monsieur,

Suite à votre lettre du 3 mars nous avons le plaisir de vous remettre ci-joint une documentation touristique sur notre département et en particulier les horaires de train de Paris à Cahors ainsi que des dépliants sur Cahors et Saint-Céré.

Également jointes les brochures groupes de la Chambre de Commerce et de Loisirs Accueils ainsi que la liste des hôtels restaurants. En ce qui concerne le temps du mois de juin il est très agréable, juillet est chaud et sec.

Nous restons bien entendu à votre disposition pour tout renseignement complémentaire.

Veuillez croire, Monsieur, à l'expression de nos sentiments distingués.

Le Directeur

J. de CHALAIN

# Unité 4 ____ *La vie quotidienne*

**1** | **A.** Vous voulez acheter des affaires de toilette au supermarché, mais vous avez seulement 7,62 euros. Quels objets sur votre liste est-ce que vous choisissez d'acheter? Quels objets est-ce que vous ne pouvez pas acheter?

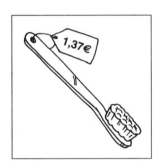

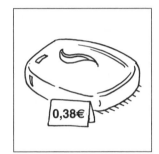

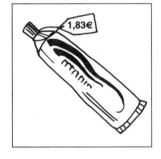

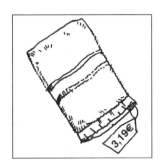

1.  Des objets sur ma liste, je vais acheter ___Answers will vary._____

    _____.

2.  Je ne peux pas acheter _____

    _____.

**B.** Qu'est-ce que Didier fait pendant une journée typique? Complétez chaque phrase avec la forme correcte du verbe convenable (*appropriate*) de la liste suivante (*following*).

se brosser / se laver / se coucher / se lever / se déshabiller / se réveiller / s'habiller

À six heures et demie, Didier _____ se réveille _____. Il ne _____ se lève _____

pas tout de suite; il dort encore dix minutes. Puis, il va dans la salle de bains où il

_____ se brosse _____ les dents et _____ se lave _____ la figure.

Dans sa chambre il _____ s'habille _____: aujourd'hui il met un jean et une

chemise. À dix heures et quart, il _____ se couche _____, mais d'abord, il

_____ se déshabille _____, bien sûr!

**2** Qu'est-ce que vous savez sur (*know about*) les deux étudiantes à l'université d'Haïti à Port-au-Prince? Encerclez (*circle*) la réponse convenable.

### Latifa

1. Latifa cherche (une maison) (une chambre dans un appartement).

2. Elle aime (l'appartement) (la voiture) de Catherine.

3. Dans la chambre de Latifa, il y a (une grande glace et une armoire haute) (deux lits).

4. Latifa peut mettre ses affaires de toilette (dans la salle de bains) (dans la chambre).

5. Elle (se lève) (ne se lève pas) tôt le matin.

### Catherine

1. Catherine cherche (un appartement) (une camarade de chambre).

2. Elle (se réveille) (part pour la fac) à cinq heures et demie.

3. Elle va à la fac (en bus) (en voiture).

4. Elle trouve Latifa (sympathique) (méchante).

**3** Complétez chaque phrase avec le mot (*word*) convenable de la liste suivante.

créole                    ouest
riches                    Port-au-Prince
Christophe Colomb         Toussaint-Louverture
canne à sucre             indépendant

1. En 1492 _____ Christophe Colomb _____ a découvert une île dans la mer des Antilles.

2. _____ Toussaint-Louverture _____ a aidé les esclaves africains à obtenir leur indépendance.

3. Aujourd'hui Haïti est un pays _____indépendant_____.

4. Haïti est à l' _____ouest_____ de l'île d'Hispaniola.

5. Les Haïtiens parlent français et _____créole_____.

6. Les Haïtiens cultivent le café, le coton et la _____canne à sucre_____.

7. _____Port-au-Prince_____ est la capitale d'Haïti.

8. La musique, l'art et la littérature d'Haïti sont très _____riches_____.

---

**4 A.** Qu'est-ce qu'on fait chez les Martin aujourd'hui? Louis décrit (*describes*) les activités de la famille dans son journal. Écrivez (*write*) la lettre de l'illustration convenable à côté de chaque phrase à (*on*) la page 74.

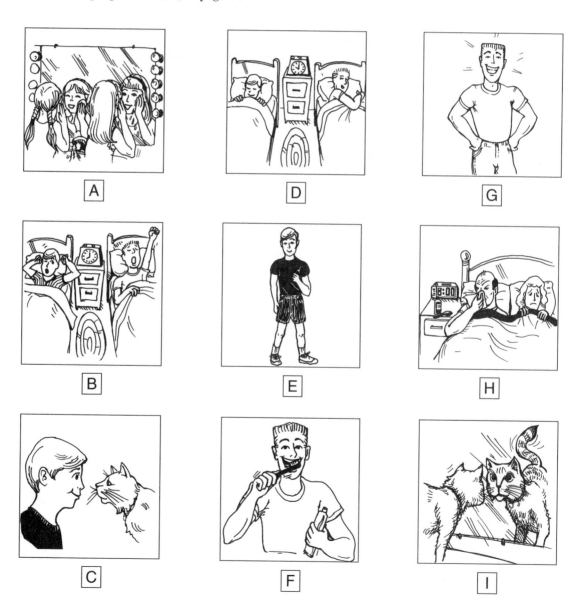

   B    1. Guillaume et moi, nous nous réveillons à huit heures.

   G    2. Je m'habille en jean et en tee-shirt aujourd'hui.

   E    3. Guillaume s'habille en noir.

   C    4. Melilot est drôle! Elle regarde toujours Guillaume.

   I    5. Melilot se regarde aussi dans la glace.

   A    6. Mes deux sœurs, Annie et Marie, se lavent dans la salle de bains.

   H    7. Mes parents ont la grippe. Ils se couchent à huit heures.

   F    8. Je me brosse les dents dans la salle de bains.

   D    9. Guillaume et moi, nous nous couchons à dix heures.

**B.** Laurence pose (*asks*) des questions à son ami Louis sur ses activités. Complétez les questions de Laurence avec la forme convenable du verbe indiqué. Puis, écrivez les réponses de Louis, d'après l'Activité 4A. Faites des phrases complètes.

Laurence: Le samedi matin, à quelle heure est-ce que vous __vous réveillez__ (se réveiller), Guillaume et toi?

Louis: __Nous nous réveillons à huit heures__ .

Laurence: En quoi est-ce que tu _____ __t'habilles__ _____ (s'habiller)?

Louis: __Je m'habille en jean et en tee-shirt__ .

Laurence: Est-ce que tu _____ __te brosses__ _____ (se brosser) les dents après le petit déjeuner?

Louis: Oui, __je me brosse les dents après le petit déjeuner__ .

Laurence: À quelle heure est-ce que tu _____ __te couches__ _____ (se coucher)?

Louis: __Je me couche à dix heures__ .

**5** | **A.** Écrivez un paragraphe sur une journée typique de votre vie quotidienne. Mentionnez quatre ou cinq activités que vous faites régulièrement. Indiquez l'ordre de ces activités par les mots **d'abord**, **puis** ou **enfin**, ou mentionnez l'heure où vous faites l'activité. Utilisez au moins (*at least*) dix verbes de la liste suivante.

| | | |
|---|---|---|
| aller | s'habiller | prendre |
| se brosser | se laver | se regarder |
| se coucher | se lever | rentrer |
| se déshabiller | manger | se réveiller |
| faire | partir | travailler |

Modèle: *Le matin je me lève à six heures. D'abord, je me lave....*

Answers will vary.

_____

_____

_____

_____

_____

_____

_____

_____

**B.** Est-ce que votre ami(e) fait les mêmes (*same*) choses que vous chaque jour? Écrivez au moins trois phrases où vous comparez vos activités habituelles.

Modèle: *Moi, je me lève à six heures et demie, mais Tom se lève à huit heures.*

Answers will vary.

_____

_____

_____

_____

_____

C'EST À TOI!
Level Two

## Leçon B

**6** | **A.** Votre tante et votre oncle vont passer le weekend chez vous. Écrivez le nom de chaque chose que vous voyez, puis écrivez une phrase sur ce qu' (*what*) il faut faire.

**Modèle:**

*la chambre*        *Il faut ranger la chambre!*

1.   le lave-vaisselle        Il faut faire la vaisselle!

2.   la machine à laver        Il faut faire la lessive!

3. <u>le sèche-linge</u>     <u>Il faut faire sécher le linge!</u>

4. <u>l'aspirateur</u>     <u>Il faut passer l'aspirateur!</u>

5. <u>le fer à repasser</u>     <u>Il faut repasser (les vêtements)!</u>

6. <u>la poubelle</u>     <u>Il faut sortir la poubelle!</u>

7. les plantes _____ Il faut arroser les plantes! _____

8. les draps _____ Il faut changer les draps! _____

9. la tondeuse _____ Il faut tondre la pelouse! _____

**B.** On n'a pas fini de nettoyer la maison. Qu'est-ce qu'on doit encore faire? Utilisez **il faut** dans des phrases complètes.

**Modèle:** On n'a pas passé l'aspirateur.

*Il faut passer l'aspirateur.* _____

1. Les plantes ont besoin d'eau.

   Il faut arroser les plantes. _____

2. Il y a de la poussière sur les tables et sur le bureau.

   Il faut enlever la poussière. _____

3.  Il n'y a plus de place dans la poubelle.

    Il faut sortir la poubelle.

4.  On n'a pas changé les draps.

    Il faut changer les draps.

5.  Il y a des vêtements sur le lit dans la chambre.

    Il faut ranger la chambre.

**7** | Répondez aux questions d'après le dialogue dans le livre. Faites des phrases complètes.

1.  Qu'est-ce que les enfants des Perrin font chaque samedi après-midi?

    Chaque samedi après-midi ils aident leurs parents à faire le ménage.

2.  Qu'est-ce que Mme Perrin est en train de faire?

    Mme Perrin est en train de faire la vaisselle.

3.  Qu'est-ce que Patrick vient de faire?

    Patrick vient de ranger sa chambre et de changer ses draps.

4.  Pourquoi est-ce qu'il ne veut pas aider sa mère?

    Il ne veut pas aider sa mère parce qu'il est fatigué.

5.  Est-ce que Patrick a fini ses corvées?

    Non, Patrick n'a pas fini ses corvées.

6.  Qu'est-ce qu'il doit encore faire?

    Il doit encore passer l'aspirateur, arroser les plantes et sortir la poubelle.

7.  Est-il content?

    Non, il n'est pas content.

8.  Quelles sont les corvées des sœurs de Patrick?

    Renée repasse les chemises et Myriam range les autres vêtements.

9.  Est-ce que Patrick veut échanger sa place avec Renée et Myriam? Pourquoi ou pourquoi pas?

    Non, Patrick ne veut pas échanger sa place avec Renée et Myriam

    parce qu'il n'aime pas leurs corvées.

10. Quelle corvée est-ce qu'il préfère faire?

    Il préfère passer l'aspirateur.

**8** Répondez aux questions suivantes avec des phrases complètes.

1. Dans quelle mer la Guadeloupe est-elle située?

   La Guadeloupe est située dans la mer des Antilles.

2. Qui a colonisé la Guadeloupe au XVIIᵉ siècle?

   Les Français ont colonisé la Guadeloupe au XVIIᵉ siècle.

3. Quand est-ce que la Guadeloupe est devenue un département français d'outre-mer?

   La Guadeloupe est devenue un département français d'outre-mer

   en 1946.

4. Quelles îles forment la Guadeloupe?

   La Guadeloupe est formée de deux îles, Basse-Terre et Grande-Terre.

5. Quelle est la capitale de la Guadeloupe?

   Basse-Terre est la capitale de la Guadeloupe.

6. Quelle est la plus grande ville de la Grande-Terre?

   La plus grande ville de la Grande-Terre est Point-à-Pitre.

7. Qu'est-ce qu'on cultive à la Guadeloupe?

   À la Guadeloupe on cultive la canne à sucre, le café et la banane.

**9** Pour ses devoirs de français ce weekend, André doit écrire (*write*) une lettre à son professeur. Il n'est pas certain comment écrire le verbe **s'asseoir**. Complétez la lettre pour André avec les formes convenables du verbe **s'asseoir**.

Nice, le 10 octobre

Cher M. LaPointe,

Bonjour! Aujourd'hui tout le monde est à la maison. Je _____m'assieds_____ à table, avec mon frère. Nous _____nous asseyons_____ ici pour faire nos devoirs. Ma mère _____s'assied_____ dans le salon et elle regarde notre chat. J'écoute ma mère qui parle à Minou: "Minou, tu _____t'assieds_____ ici, à côté de moi?" Mais Minou préfère toujours la chambre de ma sœur. Les deux, Minou et Françoise, _____s'asseyent_____ sur le lit. Minou dort et ma sœur lit.

Et vous, M. LaPointe? Est-ce que vous _____vous asseyez_____ à côté de votre piscine aujourd'hui, comme vous aimez bien faire? Bon weekend!

André

**10** Vous faites du baby-sitting. D'abord, vous dites (*tell*) aux enfants de faire certaines choses. Ils n'écoutent pas. Enfin, donnez des ordres.

**Modèle:** Grégoire, tu dois te réveiller. C'est bientôt l'heure de manger.

*Grégoire, réveille-toi!*

1. Grégoire et Louis, vous devez vous laver les mains.

   Lavez-vous les mains!

2. Louis, tu dois te dépêcher.

   Dépêche-toi!

3. Grégoire, tu dois t'asseoir à table.

   Assieds-toi à table!

4. Grégoire et Louis, vous ne devez pas vous lever. Vous n'avez pas fini.

   Ne vous levez pas!

5. Grégoire, tu dois te regarder dans la glace. Tu as ton déjeuner sur la figure.

   Regarde-toi dans la glace!

6. Grégoire, tu dois te laver la figure.

   Lave-toi la figure!

7. Grégoire et Louis, vous devez tous les deux vous laver la figure.

   Lavez-vous la figure!

8. Grégoire, tu dois te brosser les dents.

   Brosse-toi les dents!

9. Grégoire et Louis, vous devez vous coucher tout de suite.

   Couchez-vous tout de suite!

10. Grégoire et Louis, vous ne devez pas vous lever tôt.

    Ne vous levez pas tôt!

**11** Répondez aux questions suivantes d'après la **Mise au point sur... Haïti, la Guadeloupe et la Martinique**. Encerclez la réponse convenable.

1. Where are the West Indies?

   a. west of India

   b. in the Indian Ocean

   (c.) between the Caribbean Sea and the Atlantic Ocean

2. What is the first land one sees when traveling west to the Americas?

   a. Florida

   (b.) the Antilles

   c. the Bahamas

3. Haiti is part of what island?

   a. Guadeloupe

   (b.) Hispaniola

   c. Martinique

4. To what group of islands do Guadeloupe and Martinique belong?

   (a.) the Lesser Antilles

   b. the Greater Antilles

   c. Basse-Terre

5. What makes up the French West Indies?

   a. Hispaniola, Haiti and Martinique

   b. the Greater Antilles and the Lesser Antilles

   (c.) Haiti, Guadeloupe and Martinique

6. When did Europeans begin colonizing the area?

   (a.) during the 16th century

   b. during the 17th century

   c. during the 18th century

7. Why did Louis XV give up Canada at the end of the French and Indian Wars?

   a. It was too vast for France to govern.

   (b.) He valued Guadeloupe and Martinique more.

   c. He didn't want to lose the Greater Antilles.

8. When was slavery permanently abolished in the Antilles?

   (a.) 1848

   b. 1763

   c. 1865

9. What is called the **Île aux Belles Eaux** and why?

   a. Haiti, because of its beautiful blue skies

   (b.) Guadeloupe, because of the beautiful deep blue hue of its water

   c. Martinique, due to its many flowers

10. Which islands are **départements d'outre-mer** of France?

    a. Guadeloupe and Haiti

    b. Haiti and Martinique

    (c.) Martinique and Guadeloupe

11. What does the word "Haiti" mean?

    a. "island of flowers"

    (b.) "land of mountains"

    c. "island of beautiful waters"

12. Who led blacks in their revolt for freedom from France in 1804?

    (a.) Toussaint-Louverture

    b. Jean-Bertrand Aristide

    c. René Préval

13. What are **langouste** and **boudin**?

    a. dialects of French

    b. typical music from the islands

    (c.) spicy dishes

14. What two languages are spoken on these islands?

    a. French and English

    b. French and **zouk**

    (c.) French and creole

15. Who are two well-known contemporary writers from these islands?

    a. Charles Baudelaire and Aimé Césaire

    (b.) Aimé Césaire and Maryse Condé

    c. René Préval and Arawak

## *Leçon C*

**12** Complétez les mots croisés (*crossword puzzle*) avec les mots qui (*which*) manquent (*are missing*) dans les phrases suivantes.

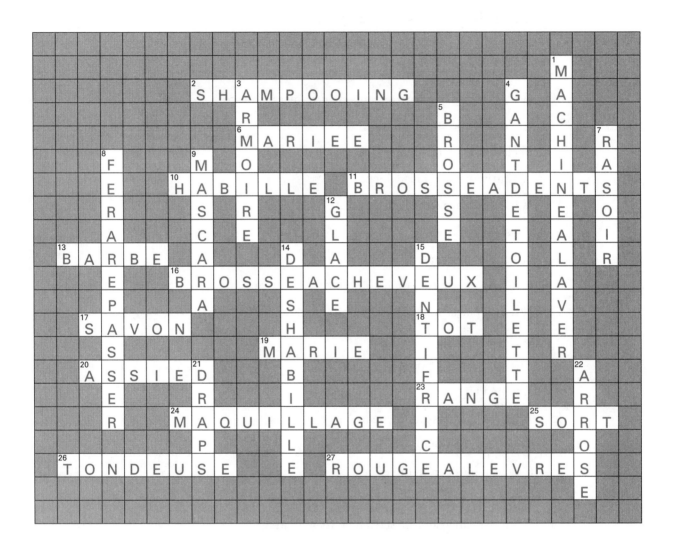

1. On se brosse les cheveux avec une ___16 H___ .

2. On se maquille avec du ___9 V___ .

3. On se rase avec un ___7 V___ .

4. Quand une dame se maquille, elle met du ___27 H___ sur les lèvres.

5. C'est avec du ___24 H___ qu'on se maquille.

6. Une ___6 H___ va avoir bientôt un mari.

7. On se lave les cheveux avec du ___2 H___ .

8. On se brosse les dents avec une ___11 H___ et du ___15 V___ .

9. Un homme qui ne se rase pas a une ___13 H___ .

10. On se lave avec du ___17 H___ et un ___4 V___ .

11. Un ___19 H___ va avoir bientôt une femme.

12. Je me réveille à cinq heures et demie. Je me lève ___18 H___ .

13. Je mets mes vêtements dans une ___3 V___ .

14. On tond la pelouse avec une ___26 H___ .

15. Pour faire la lessive, on a besoin d'une ___1 V___ .

16. Pour repasser les vêtements, on a besoin d'un ___8 V___ .

17. Sur un lit on a des ___21 V___ .

18. On s' ___20 H___ sur une chaise.

19. On se ___5 V___ les dents.

20. Quand on fait le ménage, on ___23 H___ sa chambre.

21. On ___25 H___ la poubelle.

22. On ___22 V___ les plantes.

23. On se ___14 V___ . Puis, on se couche.

24. Quand on met ses vêtements, on s' ___10 H___ .

25. On se regarde dans une ___12 V___ .

**13** Répondez aux questions suivantes d'après la page de l'Internet et le dialogue dans le livre. Faites des phrases complètes.

---

1 of 1
LES FESTIVALS À LA MARTINIQUE      http:www.fwinet.com/festival.htm

### Fêtes et Manifestations de la Martinique

La richesse et la pluralité des cultures de notre île justifient le fait qu'il se passe toujours quelque chose quelque part à la Martinique. Les Fêtes communales, les combats de coqs, les manifestations culturelles, sont autant d'occasions qui vous seront offertes toute l'année, à tout moment, d'apprécier la vitalité des traditions de notre île.

JANVIER
Préparation du Carnaval, élection des miss dans chaque commune.

FÉVRIER
Carnaval, du 20 au 24. Le dimanche, défilé de couples et mariages burlesques. Le lundi, bals costumés et défilés. Mardi gras, journée des diables en rouge et noir. Mercredi des cendres, défilés en noir et blanc; le soir l'effigie de Vaval est brûlée sur un bûcher.
Semaine nautique de Schœlcher.
Début de la saison des combats de coqs.
Concours de la chanson créole à Trinité.

---

1.  Quand est-ce qu'on se prépare pour le Carnaval à la Martinique?

    On se prépare pour le Carnaval en janvier.

2.  C'est quand, le Carnaval à la Martinique?

    Le Carnaval à la Martinique est du 20 au 24 février.

3.  Comment est-ce qu'on se déguise pour les mariages burlesques?

    Le marié se déguise en femme et la mariée se déguise en homme.

4.  Qui se maquille et porte une longue robe blanche?

    Le marié se maquille et porte une longue robe blanche.

5.  Qui porte un costume noir et un chapeau?

    La mariée porte un costume noir et un chapeau.

6.  Quels jours sont les défilés?

    Les défilés sont le dimanche, le lundi et le mercredi.

7.  Quel jour est le bal?

    Le bal est le lundi.

8.  Quel jour est-ce qu'on porte le rouge et le noir?

    On porte le rouge et le noir le mardi.

9.  Quel jour est-ce qu'on porte le noir et le blanc?

    On porte le noir et le blanc le mercredi.

**14** | Encerclez la réponse convenable.

1. La montagne Pelée, qu'est-ce que c'est?

   a. une île          (b.) un volcan          c. une éruption

2. Combien de personnes ont perdu la vie dans l'éruption de la montagne Pelée?

   a. une personne     b. 30 personnes        (c.) 30.000 personnes

3. Quand est-ce que la Martinique est devenue un département d'outre-mer?

   a. en 1502          b. en 1902             (c.) en 1946

4. Qu'est-ce qu'on ne cultive pas à la Martinique?

   (a.) le volcan          b. la canne à sucre     c. les fruits tropicaux

5. Quel est le nom d'une musique rythmique des Antilles?

   a. le jazz          (b.) le zouk            c. le burlesque

6. Quel est un autre nom pour la Martinique?

   (a.) Île aux Fleurs     b. Île aux Belles Eaux     c. Île aux Montagnes

**15** | **A.**   Le mariage de Simone Clément et de Jean-Paul Barthès était (*was*) le weekend passé. Le marié, la mariée et des membres de leurs familles ont fait des notes sur leurs activités. Écrivez les activités suivantes, en ordre logique, sous le nom de la personne convenable à la page 88.

Je me suis lavée.

Nous nous sommes habillées de nouveaux vêtements.

Je me suis dépêché pour arriver à l'heure à l'église.

Je me suis habillée d'une belle robe.

Je me suis réveillé très tôt.

Nous nous sommes levées à huit heures.

Je me suis rasé.

Nous ne nous sommes pas dépêchés.

Nous ne nous sommes pas couchées tôt.

Je me suis maquillée.

Nous nous sommes assis près des parents de Jean-Paul.

Je me suis peignée.

**Modèle:** Simone Clément, la mariée:

*Elle s'est lavée.*

Elle s'est habillée d'une belle robe.

Elle s'est maquillée.

Elle s'est peignée.

Jean-Paul Barthès, le marié:

Il s'est réveillé très tôt.

Il s'est rasé.

Il s'est dépêché pour arriver à l'heure à l'église.

M. et Mme Clément, les parents de Simone:

Ils ne se sont pas dépêchés.

Ils se sont assis près des parents de Jean-Paul.

Nicolette et Ondine Barthès, les petites sœurs de Jean-Paul:

Elles se sont levées à huit heures.

Elles se sont habillées de nouveaux vêtements.

Elles ne se sont pas couchées tôt.

**B.** Imaginez que vous avez assisté (*attended*) au mariage de Simone et de Jean-Paul. Répondez aux questions sur vos activités. Faites des phrases complètes.

1. À quelle heure est-ce que vous vous êtes réveillé(e)?

   Answers will vary.

2. En quoi vous êtes-vous habillé(e)?

3. Est-ce que vous vous êtes dépêché(e) pour arriver à l'heure à l'église?

4. Vous vous êtes assis(e) à côté de qui?

5. Vous êtes allé(e) au bal du mariage?

6. Avez-vous dansé?

_____

7. Qu'est-ce que vous avez mangé?

_____

8. Avec qui est-ce que vous avez parlé?

_____

_____

9. À quelle heure est-ce que vous êtes rentré(e)?

_____

10. À quelle heure vous êtes-vous couché(e)?

_____

---

**16** | **A.** Using information found in the graphs about French attitudes on housing, answer the questions that follow on page 90.

**Aujourd'hui, êtes-vous content de votre maison ou appartement?**

| | |
|---|---|
| Contents | 85 % |
| Pas contents | 10 % |
| Pas sûrs | 5 % |

**Qu'est-ce que vous voulez ajouter à votre maison ou appartement?**

| | |
|---|---|
| Un jardin | 20 % |
| Une chambre de plus | 15 % |
| Un bureau-bibliothèque | 10 % |
| Une vraie cuisine où on peut prendre des repas | 10 % |
| Une (deuxième) salle de bains | 5 % |
| Une salle de jeux | 5 % |
| Une salle pour la télé | 5 % |

**Qu'est-ce que vous n'aimez pas dans votre maison ou appartement?**

| | |
|---|---|
| C'est trop petit. | 20 % |
| C'est trop cher. | 15 % |
| Ce n'est pas assez moderne. | 15 % |
| Il n'y a pas de jardin. | 15 % |
| Il n'y a pas assez de lumière. | 10 % |
| C'est trop loin de la ville. | 5 % |

**Quelles ont été les choses les plus importantes quand vous avez choisi votre maison ou appartement?**

| | |
|---|---|
| Le quartier | 40 % |
| Le prix | 25 % |
| La lumière, le soleil | 25 % |
| Le calme | 20 % |
| Beaucoup de place | 20 % |
| Être près des écoles | 15 % |

**Où est-ce que vous voulez vivre?**

| | |
|---|---|
| Dans une maison à la campagne avec un jardin | 75 % |
| Dans un appartement neuf en ville | 20 % |
| Dans un vieil appartement en ville | 15 % |
| Dans un château | 15 % |

1.  What percentage of the French people surveyed are generally satisfied with their present housing situation? Do you think this is a low or high percentage?

    A high percentage of French people (85%) are satisfied with their present
    housing situation.

2.  What are the three most important factors for people who are looking for a house or an apartment?

    The three most important factors are neighborhood, price and sunlight.

3.  What do people complain about most frequently in their current house or apartment? What do they complain about least frequently?

    People complain most frequently about the size of their current house
    or apartment. They complain least frequently about being too far from
    the city.

4.  What two features would most people add to their current house or apartment?

    Most people would add a garden and an extra bedroom.

5.  Where would most people choose to live?

    Most people would choose to live in the country in a house with
    a garden.

**B.**  Now take this survey yourself. Put a check next to your answer for each question in the survey. Then write a paragraph on the differences between your answers and those of the majority of French people.

    Answers will vary.

# Unité 5 — *Sports et Loisirs*

## Leçon A

**1** Regardez le plan de la Vallée Bleue, entre Grenoble et Lyon, et répondez aux questions.

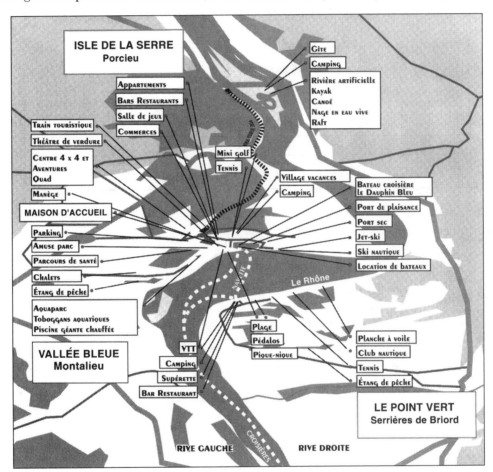

**Modèles:** Est-ce qu'on peut nager ici?

*Oui, on peut nager ici.*

Est-ce qu'on peut faire de la gym ici?

*Non, on ne peut pas faire de la gym ici.*

1. Est-ce qu'on peut faire de la planche à voile ici?

   Oui, on peut faire de la planche à voile ici.

2. Est-ce qu'on peut faire de la voile ici?

   Non, on ne peut pas faire de la voile ici.

3. Est-ce qu'on peut faire du canoë ici?

Oui, on peut faire du canoë ici.

4. Est-ce qu'on peut faire du ski nautique ici?

Oui, on peut faire du ski nautique ici.

5. Est-ce qu'on peut faire de la musculation ici?

Non, on ne peut pas faire de la musculation ici.

6. Est-ce qu'on peut faire du karaté ici?

Non, on ne peut pas faire du karaté ici.

7. Est-ce qu'on peut jouer au tennis ici?

Oui, on peut jouer au tennis ici.

8. Est-ce qu'on peut faire de la plongée sous-marine ici?

Non, on ne peut pas faire de la plongée sous-marine ici.

**2** Choisissez l'expression à droite qui exprime (*expresses*) la même idée que l'expression à gauche et écrivez sa lettre dans le blanc (*blank*).

| | | | |
|---|---|---|---|
| o | 1. offrir | a. | mes parents |
| h | 2. une raquette de tennis | b. | Tu fais du sport. |
| f | 3. son nouveau copain | c. | Passe une bonne fête d'anniversaire! |
| k | 4. formidable | d. | Vous m'offrez trop. |
| j | 5. la planche à voile | e. | samedi et dimanche |
| n | 6. libre | f. | son nouvel ami |
| i | 7. été | g. | OK |
| a | 8. papa et maman | h. | On a besoin de ça pour jouer au tennis. |
| l | 9. Je vous remercie tous! | i. | pendant les mois de juin, juillet et août |
| m | 10. Je ne joue pas très bien. | j. | un sport qu'on fait sur l'eau |
| d | 11. Vous me gâtez. | k. | super |
| e | 12. ce weekend | l. | Merci à tout le monde! |
| c | 13. Bon anniversaire! | m. | Je joue mal. |
| g | 14. D'accord. | n. | pas occupé |
| b | 15. Tu es sportif. | o. | donner |

**3** First skim the **Enquête culturelle** to find the main topic of the reading. Next look at the questions that follow. Then rapidly scan the reading looking only for the specific information required to answer these questions. You may respond in English.

1. What are two individual sports that are popular in France?

   Running and body building are two individual sports that are popular in France.

2. In what century did the French begin to play tennis?

   The French began to play tennis in the 13th century.

3. Considering the original name for "tennis" in French, what part of the body did the players use to get the ball over the net?

   The players first used the palm of the hand to get the ball over the net.

4. What is the name of the major tennis tournament that is played in France?

   The major tennis tournament in France is called **les Internationaux de Roland-Garros** (*the French Open*).

5. In what month is this tournament played?

   This tournament is played in May.

6. In what city is the Roland-Garros Stadium located?

   The Roland-Garros Stadium is in Paris.

**4** | Dites ce que chaque personne offre aux nouveaux mariés (*newlyweds*). Écrivez des phrases complètes. Le numéro (*number*) du cadeau correspond au numéro de la phrase. On a fait la première phrase pour vous.

1. Nous

   *Nous offrons un tableau aux nouveaux mariés.*

2. Les parents du marié

   Les parents du marié offrent un lave-vaisselle aux nouveaux mariés.

3. La grand-mère de la mariée

   La grand-mère de la mariée offre un aspirateur aux nouveaux mariés.

4. J'

   J'offre une plante aux nouveaux mariés.

5. Vous

   Vous offrez un fer à repasser aux nouveaux mariés.

6. Le frère de la mariée

   Le frère de la mariée offre une télévision aux nouveaux mariés.

7. Tu

   Tu offres des serviettes aux nouveaux mariés.

8. Le grand-père du marié

   Le grand-père du marié offre une tondeuse aux nouveaux mariés.

9. Les parents de la mariée

   Les parents de la mariée offrent des billets d'avion aux nouveaux mariés.

10. Tout le monde

    Tout le monde offre des cartes aux nouveaux mariés.

**5** Il est maintenant 14h20 et les personnes suivantes viennent d'arriver à la gare. Écrivez qui court et qui ne court pas. Si leur train part dans dix minutes ou moins, ils courent.

| DÉPARTS | | | |
|---|---|---|---|
| **Heure** | **Villes Desservies** | **Voie** | **Notes** |
| 14.05 | DIJON | 8 | 40 minutes en retard |
| 14.21 | GENÈVE | 10 | À l'heure |
| 14.23 | CHAMONIX, ST. GERVAIS | 6 | 30 minutes en retard |
| 14.25 | BOURG ST. MAURICE, CHAMBÉRY | 4 | À l'heure |
| 14.28 | NANTES, CLERMONT | 3 | 15 minutes en retard |
| 14.30 | AVIGNON | 7 | À l'heure |
| 14.30 | VALENCE, GRENOBLE | 5 | À l'heure |
| 14.35 | AIX-LES-BAINS, ANNECY | 2 | À l'heure |

**Modèles:** Nicole va à Bourg St. Maurice.

*Elle court.*

Je vais à Annecy.

*Je ne cours pas.*

1. Laure va à Genève.

   Elle court.

2. Sylvain va à Dijon.

   Il ne court pas.

3. Stéphane et Raoul vont à Avignon.

   Ils courent.

4. Yvette et Chloé vont à St. Gervais.

   Elles ne courent pas.

5. Nous allons à Annecy.

   Nous ne courons pas.

6. Tu vas à Nantes.

   Tu ne cours pas.

7. Jean-Claude et Jacques vont à Chamonix.

   Ils ne courent pas.

8. Jasmine va à Chambéry.

   Elle court.

9. Vous allez à Grenoble.

   Vous courez.

**6** Vous lisez une bande dessinée basée (*based*) sur des feuilletons (*soap operas*). Complétez les phrases avec **me (m')**, **te (t')**, **nous** ou **vous**.

Roxanne, tu es libre cet après-midi? Je ___t'___ invite à aller au cinéma. Il y a un bon film au Lido.

Euh... je suis obligé d'inviter mon petit frère Louis aussi. Il ___nous___ attend, toi et moi, devant le cinéma. Après le film, il veut ___nous___ inviter à prendre un coca au café.

1.

Marc ___m'___ invite au cinéma! C'est moi qu'il préfère! Peut-être qu'il ___m'___ aime!

3. Ça va être formidable! Louis adore Roxanne!

Oui, je voudrais bien.

D'accord, Marc. Je vais ___t'___ aider avec ton petit frère.

2.

Je vais être gentille. Vous allez voir. Je vais ___vous___ gâter et après le film et le coca, je vais ___vous___ remercier. Mais je ne suis pas contente! Je veux sortir seulement avec Marc!

4.

**Leçon B**

**7** | **A.** Aujourd'hui il pleut à Paris. Vous décidez de passer la journée à l'hôtel et de regarder la télé. Étudiez l'horaire des programmes sur TV5, puis répondez aux questions suivantes avec des phrases complètes.

1. À quelle heure pouvez-vous voir le bulletin météo?

   *Je peux voir le bulletin météo à 8h05, à 12h33, à 18h30, à 19h25,*
   *à 21h55 et à 22h00.*

2. À quelle heure pouvez-vous voir des émissions de musique?

   *Je peux voir des émissions de musique à 9h30 et à 10h00.*

3. À quelle heure est-ce qu'il y a un film aujourd'hui? Il s'appelle comment?

   *Il y a un film à 22h35. Il s'appelle Benvenuta.*

4. Est-ce qu'il y a des jeux télévisés? À quelle heure?

   *Oui, il y a "Grand Jeu TV5: Les inventions" à 18h25 et à 22h30.*

5. Qu'est-ce qu'il y a pour les enfants? À quelle heure?

   Il y a "Bus et compagnie" à 8h35.

6. Quelles sont deux émissions que vous choisissez de regarder? À quelle heure est-ce que vous pouvez voir ces émissions?

   Answers will vary.

---

**B.** Quels genres (*types*) de programmes les membres de votre famille préfèrent-ils regarder à la télé? Qu'est-ce qu'ils ne regardent jamais? Choisissez vos réponses de la liste suivante. Si vous voulez, vous pouvez parler des préférences de cinq de vos ami(e)s.

| | | |
|---|---|---|
| les films d'amour | les drames | les émissions de musique |
| les films d'aventures | les comédies | les jeux télévisés |
| les films de science-fiction | les dessins animés | les matchs |
| les films d'épouvante | les feuilletons | les informations |
| les films policiers | les documentaires | les bulletins météo |

**Modèle:** Ma tante *aime regarder les films de science-fiction.*
*Elle ne regarde jamais les matchs.*

1. Mon père  Answers will vary.

2. Mon frère

3. Ma sœur

4. Ma mère

5. Ma grand-mère et mon grand-père

6. Moi, j'

**c.** Quels programmes est-ce qu'on a regardés à la télé chez vous hier soir? Complétez les phrases pour dire (*say*) qui dans votre famille a regardé la télé à chaque heure et le genre de programme qu'on a regardé.

**Modèle:** À 18h30   *À 18h30 mes parents ont regardé un jeu télévisé.*

1. À 19h00   Answers will vary. _____
2. À 20h00 _____
3. À 21h00 _____
4. À 22h00 _____

---

**8**   Récrivez (*rewrite*) le dialogue à la page 196 de votre livre, mais imaginez que c'est votre ami(e) et vous qui parlez.

Votre ami(e):   Je vais allumer la télé. Tu veux regarder _____ Answers will vary. _____?

Vous:   Non, je ne les aime pas. Je préfère _____

  et _____.

Votre ami(e):   J'ai une idée. Il y a un nouveau film au Cinéplex. On peut aller le voir.

Vous:   Est-ce que c'est _____?

  J'aime tous les films sauf _____.

Votre ami(e):   Non, c'est _____. Tu vas l'aimer.

Vous:   D'accord! On y va!

---

**9**   Répondez par **vrai** (*true*) ou **faux** (*false*) d'après l'**Enquête culturelle**.

  faux   1. Amiens est au sud de Paris.

  vrai   2. Notre-Dame d'Amiens est la plus grande cathédrale de France.

  vrai   3. Les Hortillonnages sont les jardins de légumes, de fruits et de fleurs qu'on peut voir près de la Somme.

  faux   4. Jules Verne est un magasin chic du quartier Saint-Leu à Amiens.

  faux   5. Le cinéma n'est plus très populaire en France.

  faux   6. Les ados en France ne regardent pas souvent la télé.

  faux   7. Il y a approximativement 30 chaînes principales en France.

  faux   8. Il n'y a pas d'émissions américaines en France.

**10** Écrivez des phrases qui montrent que votre grand-mère et votre grand-père ont des goûts (*tastes*) différents quand ils regardent la télé. Utilisez **le**, **la**, **l'** ou **les** dans vos phrases.

**Modèle:** Mon grand-père aime le film de science fiction *La conquête de la planète des singes*.
*Ma grand-mère ne l'aime pas.*

1. Mon grand-père aime les films policiers.
   Ma grand-mère ne les aime pas.

2. Mon grand-père n'aime pas les feuilletons.
   Ma grand-mère les aime.

3. Mon grand-père ne regarde pas l'émission de musique ce soir.
   Ma grand-mère la regarde ce soir.

4. Mon grand-père regarde toujours le dessin animé "Chilly Willy".
   Ma grand-mère ne le regarde pas toujours. / Ma grand-mère ne le regarde jamais.

5. Mon grand-père regarde le bulletin météo chaque soir.
   Ma grand-mère ne le regarde pas chaque soir.

6. Mon grand-père n'aime pas la comédie "Marié, deux enfants".
   Ma grand-mère l'aime.

7. Mon grand-père ne regarde pas la télé chaque matin.
   Ma grand-mère la regarde chaque matin.

8. Mon grand-père regarde toujours les informations de 20h00.
   Ma grand-mère ne les regarde pas toujours. / Ma grand-mère ne les regarde jamais.

9. Mon grand-père regarde souvent le jeu télévisé "La roue de la fortune".
   Ma grand-mère ne le regarde pas souvent. / Ma grand-mère ne le regarde jamais.

10. Mon grand-père regarde toujours les matchs de foot télévisés.
    Ma grand-mère ne les regarde pas toujours. / Ma grand-mère ne les regarde jamais.

**11** | Ce sont les Jeux olympiques! Complétez la grille (*grid*) à la page 102 avec le nom du sport qu'on doit filmer aux heures et aux endroits (*locations*) indiqués. Suivez (*follow*) le modèle.

## 17.00

17.00 **ÉQUITATION**
18.30 *Concours complet*
*Saut indiv. (open)*

17.00 **WATER-POLO**
18.00 *(M) Classement*

17.00 **NATATION**
17.45 *50 m nage libre (D)*
*Relais 4 x 100 m 4 nages*
*(M) Éliminatoires*

17.20 **CYCLISME**
18.10 *Sur piste - Sprint (D) 1/4*
*Sprint (M) 1/8*

17.20 **TENNIS DE TABLE**
20.00 *Simples (D)*
*Éliminatoires A-P*

17.30 **SOFTBALL**
19.00 *Éliminatoires*

17.40 **CANOË-KAYAK**
19.10 *Slalom - Canoë simple*
*(C1) (M) Entraînement*

17.45 **HANDBALL**
19.00 *(D) Éliminatoires*

## 18.00

18.00 **BASKET-BALL**
19.30 *(M) Éliminatoires*

18.00 **TENNIS**
00.00 *Doubles (D) (M) 1er Tour*

18.10 **CYCLISME**
18.55 *Sur piste - Sprint (M) 1/4,*
*repêchage Sprint (D)*
*1/4 (manche décisive)*

18.30 **VOLLEY-BALL**
20.30 *(D) Éliminatoires*

18.40 **WATER-POLO**
19.40 *(M) Classement*

## 19.00

19.00 **CYCLISME**
20.25 *Sur piste - Poursuite équi-*
*pes (M) Poursuite indiv. (D)*
*1/4 Sprint (D) 1/2*

19.00 **VOILE**
20.40 *Mistral (open)* **Course 7**
*Soling (M) Tornado (D)*
**Courses 5**
*Slalom canoë double (C2)*
*(M)* **Entraînement**

19.20 **CANOË-KAYAK**
20.05 *Slalom - Canoë double*
*(C2) (M)* **Entraînement**

19.30 **BOXE**
21.55 *Diverses catégories*
**Série 2**

## 20.00

20.00 **BADMINTON**
22.00 *Simples (M) 1/8*

20.15 **CANOË-KAYAK**
22.30 *Slalom kayak simple*
*(K1) (M)* **Entraînement**

20.30 **BEACH-VOLLEY**
22.30 *(M) Éliminatoires*
*Par équipes (D) 1/2*

20.30 **CYCLISME**
20.55 *Sur piste - Sprint (D) 1/2*
**Finale 5-8, 1/2**
**(manche décisive)**

20.30 **HANDBALL**
21.45 *(D) Éliminatoires*

20.30 **VOILE**
21.40 *Mistral (M) (open)*
**Courses 8**

## 21.00

21.00 **BADMINTON**
23.00 *Simples (D) 1/16*

21.00 **BASKET-BALL**
22.30 *(M) Éliminatoires*

21.00 **PLONGEON**
23.30 *Haut vol (D)*
*Éliminatoires*

21.00 **JUDO**
22.05 *Super-légers (D) (M)*
**Finales**
**Médailles bronze et or**

21.00 **VOILE**
22.40 *Soling (open) Tornado (D)*
**Courses 6**

21.00 **WATER-POLO**
22.00 *(M) 1/4*

## 22.00

22.00 **VOLLEY-BALL**
00.00 *(M) Éliminatoires*

22.15 **BEACH-VOLLEY**
23.45 *(M) Éliminatoires*

22.15 **GYMNASTIQUE**
00.45 **ARTISTIQUE**
*Concours général*
*en indiv. (M)* **Finales**

22.15 **HANDBALL**
00.45 *(D) Éliminatoires*

| Times \ Location | Gymnasium | Swimming Pool | River, Lake or Ocean | Other Outdoor Locations |
|---|---|---|---|---|
| Modèle:<br><br>5:00 – 6:00 P.M. | *table tennis, handball* | *water polo, swimming* | *canoeing, kayaking* | *equestrian events, cycling, softball* |
| 6:00 – 7:00 P.M. | volleyball, basketball | water polo | | tennis, cycling |
| 7:00 – 8:00 P.M. | boxing | | sailing, canoeing, kayaking | cycling |
| 8:00 – 9:00 P.M. | badminton, handball | | beach volleyball, sailing, canoeing, kayaking | cycling |
| 9:00 – 10:00 P.M. | badminton, basketball, judo | diving, water polo | sailing | |
| 10:00 – 11:00 P.M. | volleyball, handball, artistic gymnastics | | beach volleyball | |

**12** Complétez les mots croisés. Les expressions viennent du vocabulaire de cette unité et se réfèrent aux sports et aux loisirs.

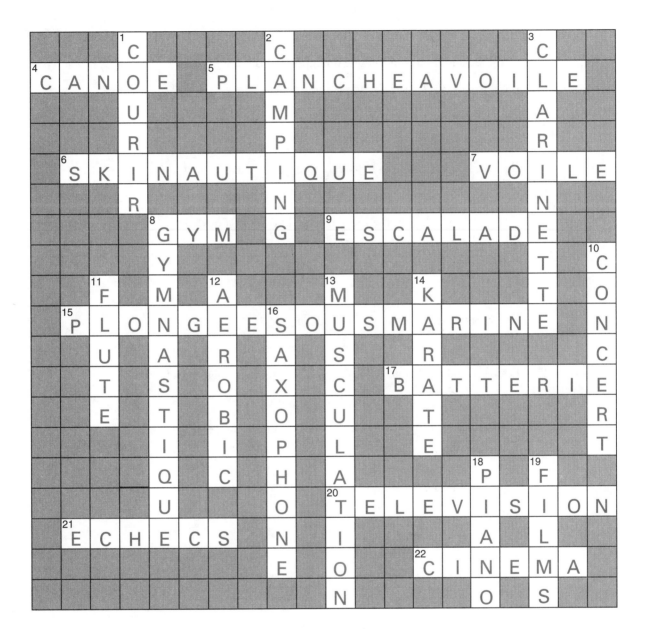

1. Nadia Comaneci, Mary Lou Retton et Kerri Strug font de la ___*8 H*___.

2. Shannon Miller fait aussi de la ___*8 V*___.

3. Si vous voulez être fort, vous devez faire de la ___*13 V*___.

4. Le ___*14 V*___ vient du Japon. Ce sport a un nom japonais.

5. Quand on fait de l'___*12 V*___, on danse aussi.

6. Pour aller vite à pied, il ne faut pas marcher. Il faut _____**1 V**_____.

7. Quand on fait de la _____**15 H**_____, on peut regarder les poissons dans les yeux.

8. Il faut un lac et du vent pour faire de la _____**7 H**_____.

9. Il faut un lac et du vent pour faire de la _____**5 H**_____ aussi.

10. On skie mais pas à la montagne quand on fait du _____**6 H**_____.

11. On fait du _____**4 H**_____ sur un lac ou à une rivière.

12. On peut voir les _____**19 V**_____ au cinéma.

13. On fait de l'_____**9 H**_____ à la montagne.

14. Il pleut. Nous restons à la maison et nous jouons aux _____**21 H**_____.

15. On joue de la musique avec la _____**3 V**_____. Elle est longue et noire.

16. Quand on joue du jazz, il y a souvent quelqu'un qui joue de la _____**11 V**_____. Elle est longue, mince et grise.

17. Bill Clinton et Kenny G jouent du _____**16 V**_____.

18. Billy Joel joue du _____**18 V**_____.

19. Ringo Starr est le Beatle qui a joué de la _____**17 H**_____.

20. Quand on fait du _____**2 V**_____, on ne dort pas dans une maison ou dans un hôtel.

21. Les ados aiment aller au _____**10 V**_____ pour écouter leurs musiciens favoris.

22. Venez au _____**22 H**_____ pour voir les nouveaux films!

23. Quel temps est-ce qu'il va faire demain? Allumons la _____**20 H**_____.

**13** Répondez par **vrai** ou **faux** d'après la conversation entre Delphine, Jean-Christophe et Élisabeth. Si la phrase est fausse (*false*), écrivez une phrase correcte.

**Modèle:** Delphine est allée à la montagne avec ses amis.
*Faux. Elle est allée à la montagne avec ses parents.*

1. Delphine a fait du camping et de l'escalade à la montagne.
   Vrai.

2. Jean-Christophe est sorti avec sa sœur, son beau-frère et leurs enfants.
   Faux. Il a gardé les enfants de sa sœur.

3. Jean-Christophe et les enfants ont regardé la télé et ont joué aux jeux vidéo.
   Faux. Ils ont joué aux cartes et ont lu beaucoup de bandes dessinées.

4. Élisabeth a assisté à un bon concert de rock.
   Vrai.

5. Élisabeth pense que deux musiciens ont bien joué.
   Vrai.

6. Delphine est contente de recommencer l'école.
   Faux. Elle n'est pas contente de recommencer l'école.

**14** Choisissez l'expression à droite qui correspond à sa définition à gauche.

   d    1. Ce sont deux pays où les B.D. sont très populaires.

   a    2. Là, les ados peuvent danser, regarder un film ou faire de la gym.

   e    3. C'est la cinquième ville de France.

   g    4. Ce sport est pour les personnes qui aiment le risque.

   c    5. On danse et on écoute de la musique traditionnelle et contemporaine pendant cette fête en juin.

   b    6. C'est un fleuve au sud-ouest de la France.

   f    7. C'est une B.D. française.

a. la Maison des Jeunes et de la Culture

b. la Garonne

c. la Fête de la musique

d. la France et la Belgique

e. Bordeaux

f. *Astérix*

g. l'escalade

**15** Votre frère Mathieu n'est pas venu à la fête d'anniversaire de votre sœur parce qu'il est parti pour l'université le weekend dernier. Il téléphone après. Répondez à ses questions. Utilisez les noms entre parenthèses et **me, te, nous, le, la** ou **les**.

**Modèle:**   Qui a acheté les assiettes? (Emmanuel)
*Emmanuel les a achetées.*

1. Qui a choisi le film? (Magali)

   Magali l'a choisi.

2. Qui a choisi les chapeaux de fête? (Delphine et Vivianne)

   Delphine et Vivianne les ont choisis.

3. Qui a invité Solange et Angélique? (Nadine)

   Nadine les a invitées.

4. Qui a acheté le coca? (Jamila)

   Jamila l'a acheté.

5. Qui a fait les crêpes? (Martine)

   Martine les a faites.

6. Qui a fait le gâteau? (Nadia et moi)

   Nadia et moi, nous l'avons fait.

7. Qui a acheté la pizza? (Olivier)

   Olivier l'a achetée.

8. Qui a aidé maman? (grand-mère et moi)

   Grand-mère et moi, nous l'avons aidée.

9. Qui t'a aidé(e)? (Joseph)

   Joseph m'a aidé(e).

10. Qui m'a cherché? (Richard)

    Richard t'a cherché.

11. Qui nous a vus à la gare? (Pierre et Djamel)

    Pierre et Djamel nous ont vus à la gare.

12. Qui a gardé les enfants de Paul et Agnès? (la sœur de Paul)

    La sœur de Paul les a gardés.

13. Qui a pris les photos? (Charles)

    Charles les a prises.

## 16 A. Skim the article on the sports center in Tignes, near Albertville in the French Alps. Then, on page 108, match the words that you already know in the right-hand column with new words in the left-hand column that come from the same word families.

# Tignes

**Dans la vallée de la Tarentaise à 2100 mètres, Tignes est située aux portes du Parc National de la Vanoise.**

### Site et équipement

Le funiculaire ultra moderne situé à proximité du centre vous propulsera en moins de 6 minutes à 3000 mètres sur le glacier de la Grande Motte. Vous y trouverez un réseau de remontées mécaniques (téléphérique, téléskis, télésièges) qui vous permettront de profiter au mieux d'un des plus vastes domaines skiables d'été.
Plus bas la station vous propose des activités à foison, son lac, ses grands espaces verts, son soleil...

### Le centre

Nous vous proposons un hébergement de qualité en chambres de 4 dans nos deux chalets de style, articulés autour du centre de vie : restaurant, bar, cheminée, terrasse ensoleillée.

### Matériel

Skis : Rossignol, Dynamic, Dynastar, Salomon.
Chaussures : Salomon, Rossignol, Nordica.
Surfs : exclusivité Rossignol.
Chaussures de surf : exclusivité Rossignol.

### Après le sport

Après le ski le matin et les activités sportives de l'après-midi, une ambiance chaleureuse vous attend en soirée; acteur ou spectateur, faites votre choix.
**Sur le centre :** emmenés par une équipe dynamique, vous participerez à des soirées dansantes, grand jeu, casino, spectacle; vous vous initierez au jonglage et si vous préférez le calme : BD, jeux de cartes ou de société vous attendent tous les soirs ainsi qu'une salle TV câblée.
**Sur la station :** le cœur du village du Val Claret est à 3 minutes du centre.
Vous y trouverez tous commerces : restaurants, pubs, pizzerias, crêperies, night clubs et salle de jeux. Avec des navettes gratuites, vous pouvez vous rendre au bowling, cinéma ou au centre de remise en forme : sauna, ham-mam ou jaccuzi...

### Surf des neiges

314 SU          ★★

Avec Rossignol Snowboard.

**Tous niveaux.** Vous surfez le matin jusqu'à 13h00, encadré par nos moniteurs spécialistes dans un esprit de "technique alpine". Les après-midi : loisirs dans les mêmes conditions que le stage Ski d' Été ou détente.
**Stages promotionnels du 18/06 au 08/07 :** dans une ambiance d'altitude "printanière", les puristes de l'activité Surf trouveront un programme d'oxygénation adapté.

### Ski d'Été

314 SE          ★★ à ★★★★

**Tous niveaux.** Vous skiez le matin, jusqu'aux environs de 13h00, encadré par nos moniteurs spécialistes.
Les après-midi : loisir ou détente.
Notre carte : tir à l'arc, tir à la carabine, badminton, volleyball, baseball, balades, parcours de blocs, cerfs volants, animation tennis.
Toutes ces activités sont gratuites et encadrées par nos moniteurs.
**Activités avec supplément sur place :** location de VTT, location de court de tennis. À partir du 09/07 baptême de raft ou de nage en eaux vives (38,11€), baptême de parapente (45,73€).
Vous trouverez également : golf 18 trous, practice et putting green, planche à voile, catamaran, pédalo et kayak sur le lac.
**Stages promotionnels du 18/06 au 08/07 :** dans une ambiance d'altitude "printanière", les puristes de l'activité ski trouveront un programme d'oxygénation adapté.

### Ski d'Été Cocktail Eaux Vives

314 BSR          ★★★

**Tous niveaux.** Le must de nos stages.
Vous avez la forme, vous savez nager, alors vous pouvez participer à un stage audacieux.
Vous partagez l'activité ski le matin jusqu'à 13h00 avec notre stage Ski d' Été encadré par nos moniteurs spécialistes.
L'après-midi sur le site de renommée internationale de l'Isère, les émotions fortes sont assurées avec notre cocktail d'eaux vives : une séance rafting, une séance nage en eaux vives, une séance canoë-raft soit 3 séances au total.
Si vous êtes super-actif durant 2 après-midi dans la semaine, vous pourrez profiter aussi des activités proposées sur le centre.

**Tarifs : voir p. 211**

### Accès

Gare SNCF : Bourg-Saint-Maurice.

| | | | |
|---|---|---|---|
| i | 1. remontées | a. | mettre |
| f | 2. skiables | b. | soir |
| n | 3. ensoleillée | c. | pizza |
| m | 4. chaleureuse | d. | nager |
| b | 5. soirée | e. | national |
| k | 6. dansantes | f. | skier |
| c | 7. pizzerias | g. | printemps |
| l | 8. crêperies | h. | pied |
| a | 9. remise | i. | monter |
| g | 10. printanière | j. | nom |
| d | 11. nage | k. | danser |
| o | 12. vives | l. | crêpes |
| h | 13. pédalo | m. | chaud |
| j | 14. renommée | n. | soleil |
| e | 15. internationale | o. | vie |

**B.** Now read the article on the sports center in Tignes more closely. Using what you've learned about recognizing word families, answer the following questions.

1. How much time does it take to go up 3,000 meters from the sports center to the top of the Grande Motte glacier?

   It takes less than six minutes to go from the sports center to the top of the Grande Motte glacier.

2. What is one of the "mechanical" ways to go up to the summer ski slopes?

   You can go up to the summer ski slopes by **téléskis**.

3. What kind of weather can you expect to find on the terrace?

   You can expect to find sunny weather on the terrace.

4. What are three things you can do in the evenings?

   In the evenings you can dance, play cards or watch TV.

5. What are two facilities available at the center for "putting yourself back" in shape?

   You can use the sauna or the Jacuzzi.

6. What part of your body do you use to operate a **pédalo**?

   You use your feet to operate a **pédalo**.

# Unité 6    *Les pays du Maghreb*

**1** | **A.** Encerclez le mot ou l'expression qui (*that*) ne doit pas être dans chacune (*each*) des catégories suivantes.

1. une adresse, une enveloppe, un timbre, (des bijoux), une feuille de papier

2. (une boîte aux lettres), un facteur, une factrice, une postière, un postier

3. un télégramme, un aérogramme, (un guichet automatique), une lettre, un colis

4. faxer une lettre, (un collier), envoyer une carte postale, peser un colis

5. un bracelet en argent, (le courrier), des boucles d'oreilles, une montre

**B.** Écrivez un paragraphe où vous décrivez (*describe*) les bijoux de Haïda, une jeune femme algérienne.

**Modèle:**    *Haïda porte une petite montre.*

Haïda porte de longues boucles d'oreilles, trois colliers, des bracelets

et six bagues.

_____

_____

**2** Thierry voit Miloud dans la rue. Pour indiquer l'ordre chronologique de leur conversation, écrivez "1" à côté de la première phrase, "2" à côté de la deuxième phrase, etc. On a déjà fait les deux premières phrases pour vous.

<table>
<tr><td colspan="2" align="center">Thierry</td><td colspan="2" align="center">Miloud</td></tr>
<tr>
<td>11</td><td>Voilà la poste. Nous allons voir combien les jeans de tes frères vont coûter!</td>
<td>8</td><td>Oui, mais j'envoie aussi des cadeaux à mes petits frères. C'est une surprise! Ils vont être très contents d'avoir de beaux jeans.</td>
</tr>
<tr>
<td>1</td><td>Salut, Miloud! Où vas-tu avec ce grand colis?</td>
<td>4</td><td>Je vais l'envoyer à ma sœur.</td>
</tr>
<tr>
<td>3</td><td>Ah, bon? Moi aussi. J'ai besoin de timbres. Mais quel grand colis!</td>
<td>10</td><td>On va voir. C'est le postier qui pèse les colis.</td>
</tr>
<tr>
<td>5</td><td>Qu'est-ce que c'est?</td>
<td>2</td><td>Salut, Thierry! Je vais à la poste.</td>
</tr>
<tr>
<td>9</td><td>Ah, d'accord, tu as acheté des vêtements. Est-ce que c'est cher d'envoyer un très grand colis?</td>
<td>6</td><td>C'est un cadeau pour son anniversaire... de belles boucles d'oreilles et un bracelet.</td>
</tr>
<tr>
<td>7</td><td>Mais c'est un grand colis pour envoyer seulement quelques petits bijoux.</td>
<td></td><td></td>
</tr>
</table>

**3** Lisez l'**Enquête culturelle** dans votre livre, puis répondez aux questions suivantes.

1. Strasbourg est la capitale de quelle région de France?

   Strasbourg est la capitale de l'Alsace.

2. Quand est-ce qu'on a fini la grande cathédrale gothique de Strasbourg?

   On l'a finie en 1439.

3. Sur quoi est-ce qu'on trouve une influence allemande à Strasbourg?

   On trouve une influence allemande sur l'architecture et la nourriture

   à Strasbourg.

4. Quelle ville est la capitale de l'Algérie?

   Alger est la capitale de l'Algérie.

   _____

5. Quels sont les trois pays du Maghreb?

   Les trois pays du Maghreb sont l'Algérie, le Maroc et la Tunisie.

   _____

6. Le grand désert d'Algérie s'appelle comment?

   Le grand désert d'Algérie est le Sahara.

   _____

7. Qu'est-ce qu'on peut acheter à la poste?

   À la poste on peut acheter des timbres et des télécartes.

   _____

8. De quelle couleur sont les boîtes aux lettres en France?

   En France les boîtes aux lettres sont jaunes.

   _____

---

**4** Vous êtes à un match de foot et il y a beaucoup de bruit. Vous ne pouvez pas entendre ce que vos amis disent. Complétez les phrases avec la forme convenable du verbe **dire**.

— Qu'est-ce que Jamila et Karina _____disent_____ à Jean?

— Jamila ____dit____ que Claire ne sort plus avec Marcel. Et Karina ____dit____ que Marcel sort maintenant avec Myriam.

— Comment? Il y a trop de bruit! Qu'est-ce que tu ____dis____?

— Je ____dis____ que Jamila et Karina ____disent____ que Marcel et Claire ne sortent plus.

— Vraiment?

— Oui, c'est vrai! Tiens! Jamila et Karina! Vous venez de parler à Jean de Claire et Marcel. ____Dites____-le à Dominique.

— Marcel et Claire ne sortent plus!

— Comment? Vous pensez vraiment?

— Nous les avons vus à l'école hier.

— Ensemble? Alors, qu'est-ce que vous ____dites____?

— Nous ____disons____ qu'ils sont amis, mais qu'ils ne sortent plus.

**5** | Dites ce qu'on ouvre d'après les illustrations suivantes. Faites des phrases complètes.

**Modèle:**

Mme Desrosiers
*Mme Desrosiers ouvre la boîte.*

1. Brigitte
   Brigitte ouvre le cadeau.

2. M. Bertin
   M. Bertin ouvre la lettre.

3. Les garçons
   Les garçons ouvrent le colis.

4. Tu
   Tu ouvres le livre.

5. Zohra et Zakia

Zohra et Zakia ouvrent les trousses.

6. Vous

Vous ouvrez la porte.

7. J'

J'ouvre le dentifrice.

8. Isabelle

Isabelle ouvre la bouche.

9. Nous

Nous ouvrons les fenêtres.

10. L'enfant

L'enfant ouvre les yeux.

**6** | Utilisez **qui** ou **que** pour combiner les deux phrases en une phrase.

**Modèles:** L'aérogramme est sur le bureau. L'aérogramme est pour Mireille.

*L'aérogramme qui est sur le bureau est pour Mireille.*

La lettre est longue. Sébastien a envoyé la lettre.

*La lettre que Sébastien a envoyée est longue.*

1. La montre coûte trois cents euros. Je veux acheter la montre.

   La montre que je veux acheter coûte trois cents euros.

2. La postière faxe mes lettres. La postière est très sympa.

   La postière qui faxe mes lettres est très sympa.

3. Le collier est très joli. Suzanne porte le collier.

   Le collier que Suzanne porte est très joli.

4. Les boucles d'oreilles sont en argent. Ma tante a acheté les boucles d'oreilles.

   Les boucles d'oreilles que ma tante a achetées sont en argent.

5. Les timbres sont sur l'enveloppe. Les timbres sont vraiment beaux.

   Les timbres qui sont sur l'enveloppe sont vraiment beaux.

6. Le colis pèse cinq kilos. J'envoie le colis à mon cousin.

   Le colis que j'envoie à mon cousin pèse cinq kilos.

7. La banque est dans la rue Voisembert. La banque ouvre à 9h00.

   La banque qui est dans la rue Voisembert ouvre à 9h00.

8. Les boîtes aux lettres sont jaunes. On voit les boîtes aux lettres en France.

   Les boîtes aux lettres qu'on voit en France sont jaunes.

9. La lettre vient d'arriver. Vous avez attendu la lettre.

   La lettre que vous avez attendue vient d'arriver.

10. Le postier a pesé ton colis. Le postier habite dans l'immeuble de mon grand-père.

   Le postier qui a pesé ton colis habite dans l'immeuble de

   mon grand-père.

**7** | Trouvez et encerclez 16 expressions dans la grille. Puis complétez les phrases avec les expressions que vous trouvez.

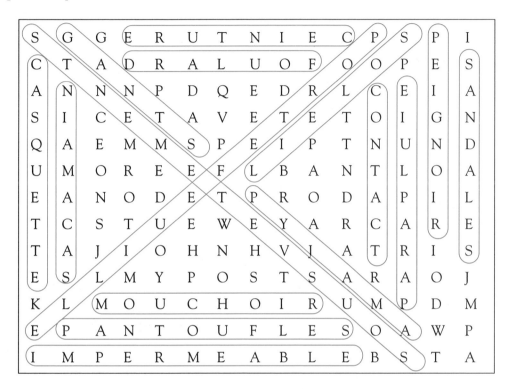

| S | G | G | E | R | U | T | N | I | E | C | P | S | P | I |
|---|---|---|---|---|---|---|---|---|---|---|---|---|---|---|
| C | T | A | D | R | A | L | U | O | F | O | O | P | E | S |
| A | N | N | N | P | D | Q | E | D | R | L | C | E | I | A |
| S | I | C | E | T | A | V | E | T | E | T | O | I | G | N |
| Q | A | E | M | M | S | P | E | I | P | T | N | U | N | D |
| U | M | O | R | E | E | F | L | B | A | N | T | L | O | A |
| E | A | N | O | D | E | T | P | R | O | D | A | P | I | L |
| T | C | S | T | U | E | W | E | Y | A | R | C | A | R | E |
| T | A | J | I | O | H | N | H | V | J | A | T | R | I | S |
| E | S | L | M | Y | P | O | S | T | S | A | R | A | O | J |
| K | L | M | O | U | C | H | O | I | R | U | M | P | D | M |
| E | P | A | N | T | O | U | F | L | E | S | O | A | W | P |
| I | M | P | E | R | M | E | A | B | L | E | B | S | T | A |

1. Quand ma grand-mère va à l'église, elle porte souvent un joli tailleur, un
   _____foulard_____ au cou, des _____gants_____, et elle a son _____sac à main_____
   en cuir.

2. Le nouveau pantalon de Céleste est un peu trop grand, alors, elle porte une _____ceinture_____.

3. En été quand il fait du soleil, je porte souvent des lunettes de _____soleil_____ et
   des _____sandales_____.

4. Ma sœur ne porte plus de lunettes; elle porte des verres de _____contact_____.

5. Quand elle se prépare pour aller au lit, elle met son _____pyjama_____.

6. Quand on s'habille, on met d'abord des _____sous-vêtements_____.

7. Quand maman se lève tôt pour préparer le petit déjeuner, elle porte son
   _____peignoir_____ de bain et ses _____pantoufles_____. Après, elle s'habille.

8. Quand mon frère joue au volley, il porte toujours sa _____casquette_____.

9. On met son argent dans son _____portefeuille_____.

10. Papa a toujours un _____mouchoir_____ quand il a un rhume.

11. Quand il pleut, mon professeur porte un _____imperméable_____ et il a un _____parapluie_____.

**8** Imaginez que vous êtes Nadia Lambert. Écrivez une lettre à votre cousin, Christophe, et parlez de Yasmine, la fille tunisienne. Dans votre lettre répondez aux questions suivantes.

1. D'où est-elle?

2. Elle s'appelle comment?

3. Combien de temps est-ce qu'elle passe chez vous?

4. Comment est-elle?

5. Qu'est-ce qu'elle a donné aux membres de votre famille?

6. Qu'est-ce qu'elle a préparé pour votre famille?

7. Avec qui est-ce qu'elle sympathise?

8. Avec qui est-ce qu'elle sort souvent?

9. De quoi est-ce qu'elle parle?

Possible answer:

le 9 juillet

Cher Christophe,

Une fille tunisienne passe l'été chez nous! Elle s'appelle Yasmine et elle est de Tunis. Elle a les cheveux bruns et elle est assez jolie. Je la trouve très sympa. Quand elle est arrivée, elle a donné un sac à main à maman, une ceinture à papa et un portefeuille à Pierre. Puis, la semaine dernière, elle a préparé un plat tunisien, du couscous, pour notre famille. Nous avons tout de suite sympathisé. On sort souvent pendant la journée. Elle parle de sa vie à Tunis et de ses amis. On s'amuse beaucoup. Le temps passe beaucoup trop vite!

À bientôt,

Nadia

**9** | Répondez par **vrai** ou **faux** d'après l'**Enquête culturelle**.

  _faux_ 1. Alger est la capitale de la Tunisie.

  _faux_ 2. En Tunisie on parle arabe et espagnol.

  _vrai_ 3. Il y a des Tunisiens qui ont quitté la Tunisie pour aller en France.

  _faux_ 4. Quand on écrit une lettre en français à un(e) ami(e), on utilise toujours un ordinateur.

  _vrai_ 5. En France le code postal précède le nom de la ville.

  _vrai_ 6. On utilise le Minitel avec le téléphone.

  _vrai_ 7. Avec le Minitel, on paie le temps qu'on utilise.

**10** | Qu'est-ce qu'on écrit à l'école aujourd'hui? Dans le premier blanc, écrivez la forme convenable du verbe **écrire**. Puis, dans le deuxième blanc, écrivez la lettre de la fin (*ending*) convenable de la phrase.

1. Au cours de français, j'_écris_ _d_.
2. Au cours d'anglais, nous _écrivons_ _a_.
3. Le prof de géographie _écrit_ _e_.
4. Au cours de maths, les élèves _écrivent_ _f_.
5. À la cantine, est-ce que tu _écris_ _b_?
6. Au cours de physique, le professeur dit aux élèves, "_Écrivez_ _g_."
7. Ce matin l'infirmière _écrit_ _c_.

a. de petites histoires
b. une carte postale à ton ami à Québec
c. une lettre au médecin
d. une lettre à mon correspondant en Tunisie
e. une interro sur l'Afrique
f. des devoirs
g. E=mc$^2$ dans vos cahiers

**11** | **A.** Lisez une petite histoire de la famille Forestier. Puis, complétez les phrases avec **lui** ou **leur**.

Antoine et Véronique aiment bien leur grand-mère, Mme Forestier, qui habite dans une ferme. Ils __lui__ téléphonent toujours le samedi matin pour __lui__ parler de la semaine à l'école. Mme Forestier __leur__ lit les lettres que leur cousin Georges __lui__ envoie. Georges passe une année aux États-Unis. Mme Forestier envoie souvent des journaux et des magazines à Georges parce qu'il __lui__ a écrit que le professeur de français à son école a besoin de livres.

Il y a des samedis où Antoine, Véronique et leurs parents vont chez Mme Forestier pour le dîner. Ils __lui__ offrent des fleurs et elle __leur__ prépare les plats favoris de Véronique et d'Antoine parce qu'elle adore ces enfants. À vingt-deux heures, les Forestier la remercient pour le dîner et elle __leur__ dit au revoir. La famille rentre, et tout le monde se couche.

**B.** Choisissez un(e) ami(e) que vous aimez bien. Puis, utilisez **lui** ou **leur** pour répondre aux questions suivantes.

1. Est-ce que vous téléphonez ou écrivez souvent à cet(te) ami(e)?
   Answers will vary. _____

   _____

2. Quand vous êtes ensemble, de quoi est-ce que vous parlez à cet(te) ami(e)?

   _____

   _____

3. Est-ce que vous parlez de ces choses aux autres amis?

   _____

   _____

4. Quand vous voyagez, est-ce que vous envoyez des lettres ou des cartes postales à cet(te) ami(e)?

   _____

   _____

5. Est-ce que vous donnez des cadeaux à cet(te) ami(e) pour son anniversaire? Qu'est-ce que vous lui offrez?

   _____

   _____

**12** Utilisez ce que vous lisez dans la **Mise au point sur... l'Algérie, la Tunisie et le Maroc** pour compléter la grille.

| Le Maghreb | | | |
|---|---|---|---|
| **Important Languages:** French and Arabic | | | |
| **Principal Religion:** Islam | | | |
| Feature | Algeria | Morocco | Tunisia |
| **Major Cities** | X | Rabat, Casablanca, Fez | X |
| **Year of Independence** | 1962 | 1956 | 1957 |
| **Important Contemporary Political Events** | 1989: F.I.S. 1992: military seized power | X | 1991: Persian Gulf crisis |
| **Notable Architectural Features** | mosques, **casbahs** | X | **médina**, mosques, ancient palaces |
| **Traditional Clothing** | **haik**, **burnoose** | fez, **djellaba**, **caftan** | X |
| **Influences on Art** | Arabic, Berber, Islamic | French, Spanish | X |
| **Traditional Arts and Crafts** | pottery, rugs, jewelry | pottery, rugs, metal products, leather goods | leather goods, wooden and iron artwork, rugs, pottery |

## Leçon C

**13** Trouvez le mot ou l'expression à droite qui correspond à sa définition à gauche et écrivez sa lettre dans le blanc.

| | | | | | |
|---|---|---|---|---|---|
| _f_ | 1. | ce qu'il faut signer | a. | une pièce |
| _h_ | 2. | une dame qui travaille dans une banque | b. | au bureau de change |
| _b_ | 3. | là où on change de l'argent | c. | un banquier |
| _a_ | 4. | _____ d'un euro | d. | dans une banque |
| _c_ | 5. | un homme qui travaille dans une banque | e. | de la monnaie |
| _j_ | 6. | là où on va pour de l'argent liquide | f. | les chèques de voyage |
| _i_ | 7. | _____ de cinquante euros | g. | de l'argent liquide |
| _e_ | 8. | des pièces | h. | une banquière |
| _g_ | 9. | des billets et de la monnaie | i. | un billet |
| _d_ | 10. | là où on garde son argent | j. | à la caisse |

**14** Expliquez (*explain*) ce qu'il faut faire pour changer des chèques de voyage. Écrivez au moins cinq phrases. Utilisez l'expression **il faut** et le vocabulaire du dialogue.

1. Il faut aller au bureau de change ou à la banque.

2. Il faut signer les chèques de voyage.

3. Il faut donner les chèques de voyage au banquier / à la banquière.

4. Il faut lui montrer son passeport.

5. Il faut passer à la caisse.

**15** Choisissez la lettre de l'expression qui complète chaque phrase d'après l'**Enquête culturelle**.

_a_ 1. L'océan _____ est au nord-ouest du Maroc.

    a. Atlantique      b. Pacifique      c. Méditerranée

_c_ 2. La plus grande ville du pays est _____.

    a. Rabat      b. Alger      c. Casablanca

   __a__   3. Le (L') _____ est l'argent marocain.

          a. dirham           b. euro           c. monnaie

   __c__   4. Officiellement, on parle _____ au Maroc.

          a. espagnol           b. français           c. arabe

   __b__   5. La _____ est une banque française.

          a. TGV           b. BNP           c. SNCF

   __b__   6. Les _____ sont des expériences professionnelles pour les étudiants.

          a. salaires           b. stages           c. compagnies

   __b__   7. Les étudiants font des stages pour _____.

          a. faire de l'argent           b. trouver un travail           c. avoir un diplôme

**16** L'histoire de la famille Forestier continue. Antoine et Véronique téléphonent à leur grand-mère, Mme Forestier, qui est aux États-Unis chez leur cousin Georges. Mais il y a du bruit et Antoine n'entend pas bien; donc, il répète beaucoup. Complétez la conversation d'Antoine et sa grand-mère avec **me, m', te, t', nous** ou **vous**.

Antoine:           Salut, Grand-mère! Comment vas-tu? Tu aimes les États-Unis?

Mme Forestier:           Oui, mon petit Antoine. C'est très beau ici. Je __t'__ ai envoyé une carte postale.

Antoine:           Tu __m'__ as envoyé une carte postale?

Mme Forestier:           Oui, Antoine. Et je vais __vous__ envoyer un colis, à vous deux.

Antoine:           Tu vas __nous__ envoyer un colis?

Mme Forestier:           C'est ça. J'ai un joli foulard pour Véronique et une surprise que je veux __t'__ offrir.

Antoine:           Un foulard et une surprise pour Véronique?

Mme Forestier:           Non, non, Antoine! La surprise est pour toi! Je vais __t'__ offrir une jolie surprise des États-Unis! Mais écoute, je vais __te__ dire au revoir maintenant. C'est difficile d'entendre.

Antoine:           Alors, tu vas __me__ donner une surprise. C'est gentil! Je __te__ dis au revoir, Grand-mère.

Mme Forestier:           Au revoir, Antoine.

**17** Before reading a poem by the Belgian poet Géo Norge, think about relationships you may have had with figures of authority. What kind of communication existed between you? Have you ever tried really hard to please a teacher, an employer or an older relative? Was this person always responsive to your efforts? Now read this poem about a master–servant relationship, paying attention to the poet's use of repetition and point of view. Then answer the questions that follow.

### Monsieur

Je vous dis de m'aider,
Monsieur est lourd.
Je vous dis de crier,
Monsieur est sourd.
Je vous dis d'expliquer,
Monsieur est bête.
Je vous dis d'embarquer,
Monsieur regrette.

Je vous dis de l'aimer,
Monsieur est vieux.
Je vous dis de prier,
Monsieur est Dieu.
Éteignez la lumière,
Monsieur s'endort.
Je vous dis de vous taire,
Monsieur est mort.

*Famines*, © Seghers

1. Who are the three people referred to in the poem: **je, vous** and **monsieur**? Which is the poet's voice? What kind of relationship is implied by the forms of address?

   **Je** might be the voice of **monsieur**, the authority figure. **Vous** might be the servant or the poet. The use of **vous** and **monsieur** indicates a formal relationship between the two people.

2. What is the repeated refrain? What does the refrain tell you about the relationship between the people?

   **Je vous dis de...**, the repetitive refrain, emphasizes that **je** is demanding certain things from **vous** that will please **monsieur**.

3. What are some of the actions that **vous** is asked to perform? How would you characterize them? Are these actions kind or cruel, helpful or selfish?

   Some of these actions are **aider, expliquer, aimer** and **prier**. They are kind, helpful actions.

4. What are some of the words used to describe **monsieur**? What kind of person does he seem to be?

   **Monsieur**, described by **bête, regrette** and **vieux**, appears to be burdensome, unreceptive, self-centered and demanding.

5. Does communication finally succeed between **monsieur** and **vous**? Explain your answer.

   No communication takes place. **Monsieur** becomes old, falls asleep and dies.

# Unité 7     *Les châteaux*

**1** Récrivez chaque phrase à la page 124. Changez les mots soulignés (*underlined*) pour mieux décrire (*describe*) la situation dans les illustrations.

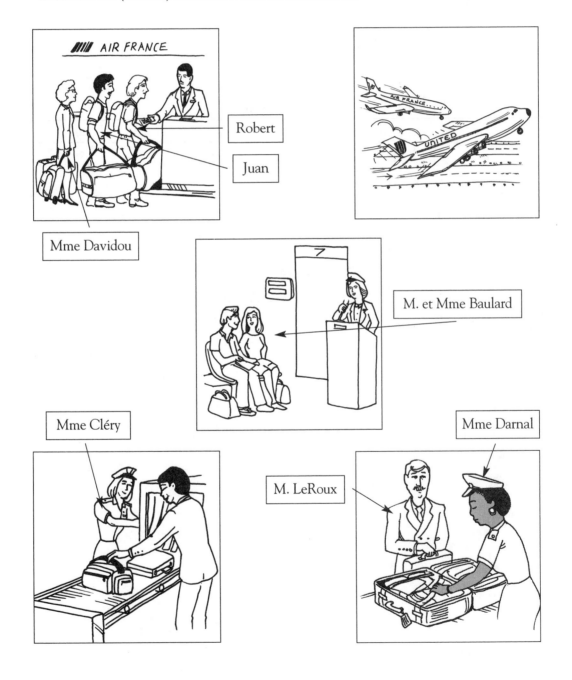

**Modèle:** Juan et Robert sont des <u>agents</u>.

*Juan et Robert sont des passagers.*

1. On est à <u>la gare</u>.

   On est à l'aéroport.

2. L'avion d'Air France <u>décolle</u>.

   L'avion d'Air France atterrit.

3. Mme Davidou est <u>douanière</u>.

   Mme Davidou est une passagère.

4. Mme Davidou a <u>un grand sac à dos</u>.

   Mme Davidou a deux valises.

5. Mme Cléry travaille au <u>comptoir d'Air France</u>.

   Mme Cléry travaille au contrôle de sécurité.

6. Les Baulard attendent <u>au contrôle de sécurité</u>.

   Les Baulard attendent à la porte d'embarquement.

7. Mme Darnal est <u>une passagère</u>.

   Mme Darnal est douanière.

8. M. LeRoux <u>fait enregistrer ses bagages</u>.

   M. LeRoux passe à la douane.

9. L'avion d'United Airlines <u>atterrit</u>.

   L'avion d'United Airlines décolle.

**2** Complétez les mots croisés avec les mots qui manquent dans les phrases suivantes.

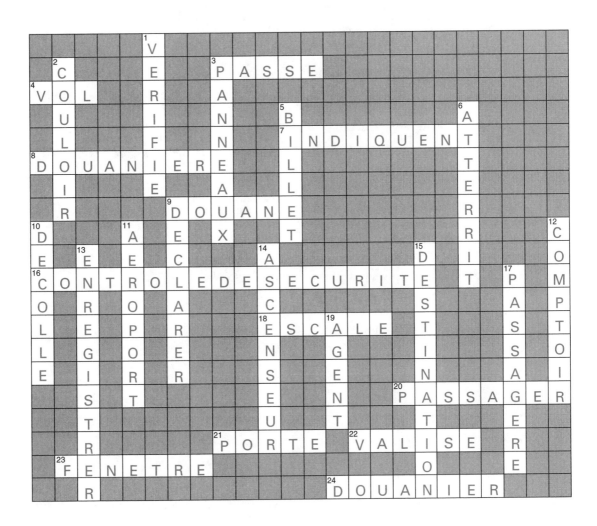

1. Pour prendre un avion, on va à l' _11 V_ .

2. Une dame qui prend un avion est une _17 V_ .

3. Un homme qui prend un avion est un _20 H_ .

4. Quand on fait enregistrer ses bagages, on parle à un _19 V_ .

5. On met ses vêtements dans une _22 H_ quand on voyage.

6. Quand on va à la porte d'embarquement, il faut d'abord passer le _16 H_ .

7. Quand on arrive à sa destination, on passe à la _9 H_ .

8. Un homme qui vérifie les choses qu'on déclare est un _24 H_ .

9. Une dame qui vérifie les choses qu'on déclare est une _8 H_ .

10. On attend l'avion à la _21 H_ d'embarquement.

11.  Quand l'avion part, il ___10 V___ .

12.  Quand l'avion arrive, il ___6 V___ .

13.  On va au ___12 V___ pour faire enregistrer ses bagages.

14.  On ___3 H___ à la douane.

15.  Quand ce n'est pas un vol direct, il y a une ___18 H___ .

16.  L'agent au comptoir ___1 V___ le billet et le passeport des passagers.

17.  Il faut acheter un ___5 V___ pour prendre un avion ou un train.

18.  Quand on cherche quelque chose dans un aéroport, dans une gare ou dans la rue, on regarde les ___3 V___ .

19.  Pour aller vite d'un étage à l'autre, on prend l'___14 V___ .

20.  Les panneaux ___7 H___ où aller.

21.  Passer à la douane est rapide si on n'a rien à ___9 V___ .

22.  Si on aime voir où on va, on choisit un siège côté ___23 H___ .

23.  On peut avoir un siège côté fenêtre ou un siège côté ___2 V___ .

24.  C'est un ___4 H___ direct?

25.  Je vais à Paris. Paris est ma ___15 V___ .

26.  Il faut faire ___13 V___ ses bagages au comptoir.

---

**3** | Répondez aux questions suivantes d'après l'**Enquête culturelle**.

1.  Quels sont les deux aéroports principaux de Paris?

    Les deux aéroports principaux de Paris sont Orly et Roissy-Charles de Gaulle.

2.  Où est Roissy-Charles de Gaulle?

    Roissy-Charles de Gaulle est à 25 kilomètres au nord de Paris.

3.  Est-ce qu'on montre ses bagages au contrôle des passeports ou à la douane?

    On montre ses bagages à la douane.

4.  Comment peut-on aller de Roissy au centre-ville?

    On peut prendre l'autobus, le train ou le taxi pour aller de Roissy au centre-ville.

5.  Où est-ce que les passagers attendent leur vol à l'aéroport?

    Les passagers attendent leur vol à la porte d'embarquement.

**4** | **A.** Victor n'a pas de place dans sa valise pour tous les souvenirs qu'il a achetés en France. Alors, il offre certains souvenirs à ses amis. Écrivez leurs conversations. Utilisez **me**, **te**, **nous**, **vous**, **le**, **la** ou **les** dans vos phrases.

**Modèle:** Victor: Raoul, tu veux ce tee-shirt de Nice? _____*Je te l'offre*_____.

Raoul: _____*Tu me l'offres*_____? Super! Tu es vraiment généreux!

Victor: Jacqueline, tu veux cette petite tour Eiffel? _____Je te l'offre_____.

Jacqueline: _____Tu me l'offres_____? Formidable!

Victor: Luc et Saïd, vous voulez ces bandes dessinées? _____Je vous les offre_____.

Luc et Saïd: _____Tu nous les offres_____? Merci beaucoup!

Victor: Hugo et Sandrine, vous voulez ces plans de Paris? _____Je vous les offre_____.

Hugo: _____Tu nous les offres_____? C'est gentil.

Victor: Julien, tu veux ces cartes postales? _____Je te les offre_____.

Julien: _____Tu me les offres_____? Super!

**B.** Maintenant c'est vous qui n'avez pas de place dans votre valise pour les souvenirs que vous avez achetés. Vos amis aiment bien certains souvenirs. Décidez si vous allez les leur donner ou si vous n'allez pas les leur donner. Utilisez **le**, **la**, **les**, **lui** et **leur** dans vos phrases.

**Modèles:** David aime bien le calendrier que vous avez acheté.

*Je vais le lui donner.*

Maurice aime bien le grand livre sur la France que vous avez acheté.

*Je ne vais pas le lui donner.*

1. Albert aime bien l'affiche des Alpes que vous avez achetée.

   Je (ne) vais (pas) la lui donner.

2. Judith aime bien le foulard bleu que vous avez acheté.

   Je (ne) vais (pas) le lui donner.

3. Rachel et Margot aiment bien les CDs de rock français que vous avez achetés.

   Je (ne) vais (pas) les leur donner.

4. Bernard et Frédéric aiment bien le fromage français que vous avez acheté.

   Je (ne) vais (pas) le leur donner.

5. Jayne aime bien les boucles d'oreilles que vous avez achetées.

   Je (ne) vais (pas) les lui donner.

## Leçon B

**5** | Angélique, qui a cinq ans, prend le train pour la première fois. Utilisez le nouveau vocabulaire de la Leçon B pour répondre aux questions qu'elle pose à sa mère, Mme Desrosiers.

**Modèle:**    Angélique:      Maman, regarde le train! Là où le train arrive, ça s'appelle comment?

           Mme Desrosiers:   *C'est une voie.*

Angélique:      Pourquoi est-ce que le garçon porte un sac à dos?

Mme Desrosiers:   C'est un voyageur.

Angélique:      Pourquoi est-ce que cette dame a une valise?

Mme Desrosiers:   C'est une voyageuse.

Angélique:      Qu'est-ce que c'est là-bas, où tout le monde met son billet?

Mme Desrosiers:   C'est un composteur.

Angélique:      Qui est la dame qui travaille là-bas?

Mme Desrosiers:   C'est une contrôleuse.

Angélique:      Le grand tableau que tu regardes, maman, il s'appelle comment?

Mme Desrosiers:   C'est le tableau des arrivées et des départs.

Angélique:      Qui est cet homme qui vient de te parler?

Mme Desrosiers:   C'est un contrôleur.

**6** | D'après le dialogue, encerclez la réponse convenable pour faire une phrase correcte.

1. André, Étienne et Paul sont (à la gare) (à l'aéroport).

2. Étienne arrive (en avance) (en retard).

3. André l'attend (devant le guichet) (sur le quai).

4. André et Paul attendent Étienne depuis (une demi-heure) (une heure et demie).

5. André et Paul ont dû (faire la queue) (monter dans le train) pour acheter leurs billets.

6. Étienne dit "Mince!" parce qu'il (est) (n'est pas) content.

7. (Il y a beaucoup de monde) (Il n'y a personne) qui prend le train pour aller à Blois aujourd'hui.

8. André dit "mon vieux" quand il parle à Étienne parce qu'Étienne est (plus âgé qu'André) (l'ami d'André).

**7** | Répondez par **vrai** ou **faux** d'après l'**Enquête culturelle**.

    _faux_   1.   Blois est une ville des Pyrénées.

    _faux_   2.   Le château de Blois est la résidence officielle du président de la République.

    _faux_   3.   Le château de Blois est célèbre pour son grand escalier en chocolat.

    _vrai_   4.   Quand on voyage en train, il est nécessaire de composter le billet.

    _faux_   5.   On attend le train au guichet.

    _faux_   6.   Les billets de train sont plus chers pendant la période bleue.

    _vrai_   7.   Les jeunes Français voyagent souvent à vélo.

**8** | C'est aujourd'hui lundi. Vos copains et vous, vous êtes arrivés à Tours pendant l'après-midi il y a une semaine. Regardez le programme des visites de la région, puis écrivez quand les personnes suivantes ont visité les châteaux indiqués. Utilisez **il y a** dans vos réponses.

### PROGRAMME DU 8 AVRIL AU 12 NOVEMBRE

| **LUNDI** | **MARDI** | **MERCREDI** | **JEUDI** | **VENDREDI** | **SAMEDI** | **DIMANCHE** |
|---|---|---|---|---|---|---|
| Départ 13h30 | Départ 9h30 | Départ 13h30 | Départ 9h30 | Départ 13h30 | Départ 9h00 | Départ 13h30 |
| AMBOISE (vue sur le château) | BLOIS (visite et déjeuner) | AMBOISE (visite) | LANGEAIS (visite) | AMBOISE (vue sur le château) | AZAY-LE-RIDEAU (visite) | AZAY-LE-RIDEAU (visite) |
| CHAUMONT (visite) | CHAMBORD (visite) | LE CLOS LUCÉ Demeure de Léonard de Vinci (visite) | USSÉ (vue sur le château) | CHAUMONT (visite) | VILLANDRY (visite) | USSÉ (visite) |
| CHENONCEAUX (visite) | CHEVERNY (visite) | CHENONCEAUX (visite) | CHINON (déjeuner et visite) | CHENONCEAUX (visite) | Retour vers 12h30 15,24€* | VILLANDRY (visite) |
| | | | AZAY-LE-RIDEAU (visite) | | | |
| | | | VILLANDRY (visite) | | | |
| Retour vers 19h00 19,82€* | Retour vers 18h30 28,97€* | Retour vers 19h00 19,82€* | Retour vers 18h30 28,97€* | Retour vers 19h00 19,82€* | | Retour vers 19h00 19,82€* |

**SAMEDI**

Départ 13h30

AMBOISE (visite)

LE CLOS LUCÉ Demeure de Léonard de Vinci (visite)

CHENONCEAUX (visite)

Retour vers 19h00 19,82€*

*PRIX PAR PERSONNE. REPAS ET DROITS D'ENTRÉE NON COMPRIS, MAIS VOUS POUVEZ BÉNÉFICIER DU TARIF RÉDUIT DANS TOUS LES CHÂTEAUX.*

*TOURAINE ÉVASION PEUT AUSSI VOUS PROPOSER LA LOCATION DE MINIBUS AVEC CHAUFFEUR - FORFAIT : DEMI JOURNÉE / JOURNÉE / SPECTACLES SON ET LUMIÈRE*

**Modèle:** Un matin Ahmed et Zakia ont visité Azay-le-Rideau et Villandry.

*Ils ont fait ça il y a deux jours.*

1. Jérôme et Damien ont visité cinq châteaux.

   Ils ont fait ça il y a quatre jours.

2. Éloïse et Victor ont visité deux châteaux et sont revenus à 12h30.

   Ils ont fait ça il y a deux jours.

3. Juliette a pris le déjeuner à Blois.

   Elle a fait ça il y a six jours.

4. Rose et Brigitte sont allées à Azay-le-Rideau, Ussé et Villandry. Elles sont revenues à 19h00.

   Elles ont fait ça il y a un jour.

5. Marcel, Jeanne et moi, nous avons vu la maison de Léonard de Vinci près d'Amboise. Le samedi nous n'avons rien vu.

   Nous avons fait ça il y a cinq jours.

**9**   Il est 5h30 lundi après-midi. Vous parlez avec des ados parisiens qui sont à Tours. Vous demandez (*ask*) à Ariane de vous dire depuis quand ses copains sont ici à Tours. Tout le monde parle et vous ne pouvez pas l'entendre. Donc, demandez à Ariane de vous dire depuis combien de temps ses copains sont à Tours. Écrivez la conversation.

**Modèle:** Jean-Baptiste et Virginie (Ils sont arrivés à Tours à 4h15.)

— *Depuis quand est-ce que Jean-Baptiste et Virginie sont à Tours?*

— *Ils sont ici depuis quatre heures et quart.*

— *Comment? Depuis combien de temps est-ce que Jean-Baptiste et Virginie sont ici?*

— *Ils sont ici depuis une heure et quart.*

1. David et Rachel (Ils sont arrivés à Tours à 8h30.)

   — Depuis quand est-ce que David et Rachel sont à Tours?

   — Ils sont ici depuis huit heures et demie.

   — Comment? Depuis combien de temps est-ce que David et Rachel sont ici?

   — Ils sont ici depuis neuf heures.

2.  Gisèle et Augustine  (Elles sont venues à Tours vendredi.)

— Depuis quand est-ce que Gisèle et Augustine sont à Tours?

— Elles sont ici depuis vendredi.

— Comment? Depuis combien de temps est-ce que Gisèle et

Augustine sont ici?

— Elles sont ici depuis trois jours.

3.  Thierry  (Il est arrivé à Tours lundi dernier.)

— Depuis quand est-ce que Thierry est à Tours?

— Il est ici depuis lundi dernier.

— Comment? Depuis combien de temps est-ce que Thierry est ici?

— Il est ici depuis une semaine.

4.  Charles  (Il est arrivé à 11h30.)

— Depuis quand est-ce que Charles est à Tours?

— Il est ici depuis onze heures et demie.

— Comment? Depuis combien de temps est-ce que Charles est ici?

— Il est ici depuis six heures.

5.  Nicole  (Elle est arrivée dimanche.)

— Depuis quand est-ce que Nicole est à Tours?

— Elle est ici depuis hier / dimanche.

— Comment? Depuis combien de temps est-ce que Nicole est ici?

— Elle est ici depuis un jour.

6.  Pierre  (Il est arrivé à 2h30.)

— Depuis quand est-ce que Pierre est à Tours?

— Il est ici depuis deux heures et demie.

— Comment? Depuis combien de temps est-ce que Pierre est ici?

— Il est ici depuis trois heures.

**10** Trouvez le mot ou l'expression à gauche qui correspond à sa description à droite et écrivez sa lettre dans le blanc.

<u>d</u> 1. nickname of the Loire Valley

<u>k</u> 2. most famous room in Versailles

<u>h</u> 3. Louis XIV

<u>l</u> 4. the Loire Valley

<u>a</u> 5. fortresses

<u>o</u> 6. pleasure palaces

<u>n</u> 7. Charles VIII

<u>c</u> 8. François I

<u>f</u> 9. Huguenots

<u>m</u> 10. Chenonceaux

<u>b</u> 11. Diane de Poitiers

<u>i</u> 12. Catherine de Médicis

<u>j</u> 13. Chambord

<u>e</u> 14. Versailles

<u>g</u> 15. **le lever du roi**

a. built for defense

b. mistress of Henri II

c. friend of Leonardo da Vinci

d. **le jardin de la France**

e. the famous French palace built for Louis XIV

f. French Protestant rebels

g. the ceremony when the Sun King got out of bed

h. **le Roi Soleil**

i. wife of Henri II

j. largest of the Loire castles

k. **la galerie des Glaces**

l. has over 100 châteaux

m. beautiful château built over the Cher

n. first brought Italian artists to Amboise

o. built for gracious living and entertaining

**11** Répondez aux questions d'après le dialogue.

1. Est-ce que Jérémy et Stéphanie prennent l'autobus?

   Non, Jérémy et Stéphanie prennent le R.E.R.

2. Où vont-ils?

   Ils vont à Versailles.

3. Qu'est-ce qu'ils ne connaissent pas très bien?

   Ils ne connaissent pas très bien la ville de Versailles.

4. Pourquoi ne vont-ils pas au syndicat d'initiative?

   Ils ne vont pas au syndicat d'initiative parce que c'est dimanche et le

   syndicat d'initiative est fermé.

5. Où est-ce qu'ils font la connaissance d'Abdoul?

   Ils font sa connaissance dans le train.

6. Est-ce que le château est très loin de la gare?

   Non, le château est assez près de la gare.

7. Où faut-il aller pour demander s'il y a des visites spéciales aujourd'hui?

   Il faut demander au guichet.

**12** D'après l'**Enquête culturelle**, écrivez la lettre de la réponse convenable à côté de sa question.

___d___ 1. Versailles est à quelle distance de Paris?

___c___ 2. On prend quelle ligne du R.E.R. pour aller de Paris à Versailles?

___f___ 3. Quel jour de la semaine est-ce que le château de Versailles est fermé?

___b___ 4. Qu'est-ce qu'il faut aussi voir à Versailles?

___a___ 5. Qu'est-ce que les touristes peuvent trouver au syndicat d'initiative?

___e___ 6. Qu'est-ce qu'on peut réserver au syndicat d'initiative?

a. des informations, les plans de la ville et les listes d'activités

b. les jardins

c. C5

d. 18 kilomètres

e. une chambre d'hôtel

f. le lundi

**13** Un groupe d'élèves américains voyagent de Paris à Blois avec leur professeur. Ils vont de leur hôtel à la gare où ils parlent de ce qu'il faut faire. Complétez les blancs avec la forme convenable du verbe **savoir**.

René:     Monsieur Smith, est-ce que vous _____savez_____ où est la gare?

M. Smith:     Oui, la gare est là, devant nous.

            (Tout le monde entre dans la gare.)

M. Smith:     Luc et Thierry, vous _____savez_____ qu'il faut acheter des billets pour tout le monde au guichet?

Luc:     Oui, mais nous ne _____savons_____ pas où est le guichet.

M. Smith:     Là-bas, à gauche du tableau des arrivées et des départs. Alice, tu _____sais_____ que c'est toi qui vas vérifier l'heure du départ, n'est-ce pas?

Alice:     Oui, Monsieur Smith, et je _____sais_____ que je dois vérifier le quai de notre train aussi.

M. Smith:     Très bien, Alice. Alors, les élèves, tout le monde _____sait_____ qu'il faut composter vos billets au composteur? Et puis, vous pouvez passer au quai pour attendre notre train. Tiens! Où sont Lise et Véronique? Tu _____sais_____, Thierry?

Thierry:     Elles sont allées au café.

M. Smith:     Zut alors! Elles ne _____savent_____ pas qu'on peut prendre le petit déjeuner dans le train? Nous n'allons jamais partir!

**14** **A.** Choisissez un mot ou une expression de chaque colonne pour faire des phrases convenables.

| A | B | C |
|---|---|---|
| M. le boucher | connais | pas ton père. |
| Ces cuisinières | connaissons | la bouillabaisse. |
| Vous | connaît | un bon feuilleton. |
| Moi, je ne | connais | bien son métier. |
| Nous | connaissez | le boulanger? |
| Est-ce que tu | connaissent | tous nos cousins. |

1.   M. le boucher connaît bien son métier.

2.   Ces cuisinières connaissent la bouillabaisse.

3.   Vous connaissez un bon feuilleton.

4.   Moi, je ne connais pas ton père.

5.   Nous connaissons tous nos cousins.

6.   Est-ce que tu connais le boulanger?

**B.** Avec d'autres élèves de votre école, vous êtes allé(e) en France. Vous avez voyagé à des provinces différentes où vous avez fait du sport pendant une semaine. Écrivez dans votre journal de voyage à la page 136 les attraits (*attractions*) de chaque province et le nouveau sport qu'on sait faire. Étudiez la carte de France pour trouver l'attrait de la province et le sport.

**Modèle:**    Raphaël a voyagé en Normandie.
    *Maintenant il connaît la campagne et il sait faire du cheval.*

1. Aurélie a voyagé en Provence.

   Maintenant elle connaît la mer et elle sait faire de la voile.

2. Stéphane a voyagé en Guyenne.

   Maintenant il connaît le fleuve et il sait faire du canoë.

3. Alexandre et Ousmane ont voyagé en Alsace.

   Maintenant ils connaissent le lac et ils savent faire du ski nautique.

4. Amélie et Christine ont voyagé en Franche-Comté.

   Maintenant elles connaissent la montagne et elles savent skier.

5. Patricia et moi, nous avons voyagé en Bretagne.

   Maintenant nous connaissons la plage et nous savons plonger.

6. Gaston et Sara ont voyagé en Touraine.

   Maintenant ils connaissent la campagne et ils savent faire du vélo.

**15** Using the skills you have learned in this unit, make an outline of the articles that follow about three **châteaux** in the Loire Valley. Before you begin, you may want to review the four points on page 292 of your textbook. Also use the information about **châteaux** from this unit to make logical deductions as you read the article. You might consider organizing the information according to the features that are attractive to tourists.

# TOURAINE
## PAYS DES CHÂTEAUX

### AZAY-LE-FERRON

Pour l'amateur de beaux meubles anciens, le château d'Azay-le-Ferron est certainement l'un des mieux pourvus des environs de Tours. Dans les vingt-deux pièces ouvertes au public se trouve une remarquable collection de meubles dont un grand nombre porte l'estampille de célèbres ébénistes du XVIIIe siècle.

Le bâtiment lui-même relie divers corps de logis de style médiéval, Renaissance et classique, mis en valeur par un immense parc et des jardins topiaires près du château et à l'anglaise dans les lointains.

## SACHÉ
### demeure de Balzac

Pour les amateurs de pèlerinages littéraires, le château de Saché constitue l'un des endroits les plus attachants de Touraine. Au milieu d'un parc romantique ouvert sur la vallée de l'Indre, on peut y retrouver l'atmosphère d'une vieille demeure de campagne avec son salon garni de papiers peints et la petite chambre du romancier.

Une riche collection de portraits, d'autographes, d'éditions originales permet d'évoquer l'auteur de *La Comédie Humaine* et le cadre des romans qu'il y composa: *Le Père Goriot, César Birotteau, Le Lys dans la Vallée.*

## CHENONCEAUX

Avec sa tour médiévale, son corps de logis Renaissance, sa galerie classique qui enjambe le Cher, le château de Chenonceaux, par sa situation exceptionnelle au milieu de jardins à la française fleuris en toutes saisons, est, de tous les châteaux de Touraine, celui qui attire le plus d'hommages et de témoignages mérités d'admiration.

De plus, quatre siècles d'histoire sont retracés dans un «Musée de cires» situé dans les jardins du château.

| Possible outline: |
| --- |
| |
| |
| I.   Azay-le-Ferron |
|    A.  L'intérieur |
|       1.  Vingt-deux pièces ouvertes au public |
|       2.  Remarquable collection de meubles du XVIII$^e$ siècle |
|    B.  Différents styles d'architecture |
|       1.  Médiéval |
|       2.  Renaissance |
|       3.  Classique |
|    C.  Parc et jardins |
| |
| |
| II.  Chenonceaux |
|    A.  Parties du château |
|       1.  Tour médiévale |
|       2.  Corps de logis Renaissance |
|       3.  Galerie classique |
|    B.  Situation sur le Cher |
|    C.  Jardins à la française |
|    D.  Musée de cires |
| |
| |
| III.  Saché |
|    A.  Vieille demeure de campagne |
|       1.  Parc romantique |
|       2.  Salon garni de papiers peints |
|       3.  Petite chambre du romancier |
|    B.  Souvenirs de Balzac |
|       1.  Portraits |
|       2.  Autographes |
|       3.  Éditions originales |
| |
| |
| |
| |

# Unité 8

## En voyage

**Leçon A**

**1** Utilisez le nouveau vocabulaire du dialogue pour répondre aux questions qu'on pose à Jules Renard qui va voyager à la Martinique.

La réceptionniste: Allô, Hôtel Lutèce, bonjour!

Jules: La réception, s'il vous plaît. Je voudrais faire une réservation.

La réceptionniste: Très bien. Vous voulez réserver combien de chambres?

Jules: Je voudrais réserver une chambre, s'il vous plaît.

La réceptionniste: C'est pour quelles dates?

Jules: Du 11 au 18 mars.

La réceptionniste: Préférez-vous une chambre qui donne sur la mer ou une chambre qui donne sur le jardin?

Jules: Je préfère une chambre qui donne sur la mer.

La réceptionniste: Voulez-vous une chambre avec un grand lit ou des lits jumeaux?

Jules: <u>Un grand lit.</u>

La réceptionniste: Est-ce que vous voulez une chambre avec une salle de bains? Avec la climatisation? Voulez-vous le téléphone et la télévision?

Jules: <u>Je voudrais une chambre avec une salle de bains, la climatisation et le téléphone, s'il vous plaît. Je ne veux pas de télévision.</u>

La réceptionniste: D'accord. Nous avons une chambre pour vous à 84€. Il y a un supplément de 8€ pour le petit déjeuner. Le voulez-vous?

Jules: <u>Oui, je voudrais le petit déjeuner.</u>

La réceptionniste: Très bien. Je vais réserver la chambre avec le petit déjeuner au nom de qui?

Jules: <u>Je suis Monsieur Renard.</u>

La réceptionniste: Et quel est votre prénom, s'il vous plaît, M. Renard?

Jules: <u>Mon prénom est Jules.</u>

La réceptionniste: Bon. Comment allez-vous régler?

Jules: <u>Je peux vous donner le numéro de ma carte de crédit.</u>

La réceptionniste: Très bien. Merci, Monsieur.

---

**2** | Encerclez la réponse convenable d'après l'**Enquête culturelle.**

1. Quelle ville est la capitale de la province de Québec?

    (a.) Québec      b. Montréal      c. Saint-Laurent

2. La Citadelle, qu'est-ce que c'est?

    a. une université      (b.) un vieux fort      c. un centre commercial

3. Quel grand hôtel est à Québec?

    a. la Citadelle      b. le Michelin      (c.) le château Frontenac

4. Quel quartier de Québec a des sections résidentielles, commerciales et industrielles?

    a. le Vieux-Québec      (b.) la section moderne      c. le port

5. Qu'est-ce qu'on utilise pour trouver un hôtel en France?

    a. un ascenseur      (b.) le *Guide Michelin Rouge*      c. le Saint-Laurent

6. Où sont les salles de bains dans les hôtels assez simples?

   (a.) dans le couloir          b. dans les chambres          c. à la réception

7. Parce que le voltage électrique est différent en France, qu'est-ce que les touristes américains doivent utiliser?

   (a.) un adaptateur          b. un supplément          c. la climatisation

---

**3** | **A.** Votre mère vient de rentrer après son travail. Tout est en désordre. Elle veut savoir ce que tout le monde a fait. Consultez la grille que vous avez faite pour déterminer qui a fait quoi. Utilisez **lui, elle, nous, eux** ou **elles** pour répondre à ses questions.

|  | Jacques | Annie | Nicole | Papa | Moi |
|---|---|---|---|---|---|
| **Modèle:** Qui ne ferme jamais la porte? | x | | | | |
| 1. Qui met toujours son blouson sur le fauteuil? | | x | | | |
| 2. Qui a laissé ses baskets dans la cuisine? | x | | | | |
| 3. Qui a laissé le lait sur le comptoir? | | | | x | |
| 4. Qui mange du gâteau dans le salon? | | | x | | |
| 5. Qui fait ses devoirs sur le tapis? | x | x | | | |
| 6. Qui joue aux cartes? | | | x | | x |
| 7. Qui a nourri le chien? | | x | x | | |
| 8. Qui a laissé la boîte sur la cuisinière? | | x | | | |
| 9. Qui regarde la télé? | | | | x | |
| 10. Qui joue de la batterie? | x | | | | |

**Modèle:** *Jacques. C'est lui qui ne ferme jamais la porte.*

1. Annie. C'est elle qui met toujours son blouson sur le fauteuil.

2. Jacques. C'est lui qui a laissé ses baskets dans la cuisine.

3. Papa. C'est lui qui a laissé le lait sur le comptoir.

4. Nicole. C'est elle qui mange du gâteau dans le salon.

    _____

5. Jacques et Annie. Ce sont eux qui font leurs devoirs sur le tapis.

    _____

6. Nicole et moi. C'est nous qui jouons aux cartes.

    _____

7. Annie et Nicole. Ce sont elles qui ont nourri le chien.

    _____

8. Annie. C'est elle qui a laissé la boîte sur la cuisinière.

    _____

9. Papa. C'est lui qui regarde la télé.

    _____

10. Jacques. C'est lui qui joue de la batterie.

    _____

**B.** Paul sort de la maison mais son père lui pose des questions. Utilisez **moi, toi, lui, elle, nous, vous, eux** ou **elles** pour compléter le dialogue.

Son père: Où vas-tu maintenant?

Paul: Qui, _____moi_____?

Son père: Oui, _____toi_____.

Paul: Je vais chez David et Élisabeth. Pourquoi?

Son père: Chez David et Élisabeth? Mais tu es allé chez _____eux_____ hier soir.

Paul: Oui, mais ils m'ont invité à aller à un concert avec _____eux_____. J'ai déjà demandé à maman. Et _____elle_____, elle a dit que oui.

Son père: Mais _____moi_____, je ne l'ai pas dit. Et regarde, qu'est-ce que _____vous_____, ton frère et toi, vous avez fait à la maison?

Paul: _____Nous_____? Ce n'est pas _____nous_____. Ce sont Annie et Nicole. _____Elles_____, elles ont fait ça. _____Moi_____, j'ai laissé les cartes sur la table, c'est tout. Et Jacques, _____lui_____, il a laissé ses livres sur le tapis et ses baskets dans la cuisine. Mais Annie et Nicole....

Son père: Elles sont plus jeunes que _____vous_____, Jacques et toi. Va aider ta mère à nettoyer la maison. On va parler de tout ça plus tard.

## Leçon B

**4** Répondez aux questions d'après le dialogue.

1. Où est-ce que Charles habite?

   Charles habite à Sainte-Anne-de-Beaupré.

2. Où est-ce qu'il est allé?

   Il est allé en France.

3. Avec qui est-ce qu'il parle?

   Il parle avec son père.

4. Est-il resté dans un hôtel à Paris?

   Non, il est resté dans une auberge de jeunesse à Paris.

5. Il a fait de nouveaux amis de quelles nationalités?

   Il a fait de nouveaux amis américains, italiens et français.

6. Qu'est-ce qu'on faisait ensemble le soir?

   Le soir on mangeait ensemble, on racontait des histoires et on

   s'amusait beaucoup.

7. Avec qui est-ce qu'il sympathisait surtout?

   Il sympathisait surtout avec Karine.

8. Qu'est-ce qu'elle faisait à Paris?

   Elle cherchait du travail à Paris.

9. Est-ce que M. Bertin va pouvoir faire sa connaissance?

   Oui, M. Bertin va pouvoir faire sa connaissance.

10. Qu'est-ce que Karine a envie de faire?

    Karine a envie de voir le Canada.

11. Quand est-ce qu'elle va le faire?

    Elle va le faire le mois prochain.

**5** Répondez par **vrai** ou **faux** d'après l'**Enquête culturelle**.

___vrai___ 1. Sainte-Anne-de-Beaupré est dans la province de Québec.

___vrai___ 2. Il y a une basilique à Sainte-Anne-de-Beaupré où vont beaucoup de gens malades.

___faux___ 3. Les jeunes voyageurs en France ne choisissent pas souvent de rester dans des auberges de jeunesse.

___faux___ 4. Les auberges de jeunesse sont chères.

___faux___ 5. Si on a moins de 18 ans, on ne peut pas rester dans des auberges de jeunesse.

___vrai___ 6. On peut acheter le petit déjeuner dans les auberges de jeunesse.

___faux___ 7. Dans les hôtels en France, on paie par personne.

**6** **A.** Hubert, 18 ans, et son frère Joseph, 16 ans, sont en train de parler avec leur grand-mère, Mme Gilbert, de ce qu'elle faisait quand elle avait le même âge qu'eux. Mme Gilbert était musicienne, un peu timide et pas du tout sportive. Elle aimait être chez elle pour lire et passer du temps dans le jardin. D'après ce que vous savez d'elle, répondez aux questions de ses deux petits-fils (*grandsons*).

**Modèle:** Hubert: Nous allons très souvent à la plage avec nos amis. Et toi, Grand-mère?
Mme Gilbert: *Non, je n'allais pas souvent à la plage.*

Joseph: À la plage, nous nageons dans la mer et faisons des promenades en bateau. Et toi, Grand-mère?
Mme Gilbert: Non, je ne nageais pas dans la mer et je ne faisais pas de promenades en bateau.

Hubert: Souvent le soir nous rendons visite à nos amis. Nous jouons du piano.
Mme Gilbert: Non, je ne rendais pas souvent visite à mes amis. Mais je jouais du piano.

Joseph: Quand il fait très chaud, nous restons à la maison. Nous lisons des livres sous les arbres dans le jardin et nous prenons des jus de fruits. Et toi, Grand-mère?
Mme Gilbert: Moi aussi, je restais à la maison quand il faisait très chaud. Je lisais des livres dans le jardin et je prenais des jus de fruits.

Hubert: Quand il pleut, nous faisons du karaté au sous-sol ou écoutons de la musique.
Mme Gilbert: Non, je ne faisais pas de karaté quand il pleuvait. Mais j'écoutais de la musique.

Joseph: C'est intéressant de parler de ta vie, Grand-mère!

**B.** Posez des questions à un membre de votre famille qui est plus âgé que vous. Écrivez six questions en français sur ce que cette personne aimait faire quand elle avait votre âge. Puis, encerclez les numéros des phrases qui représentent des activités que vous aussi, vous aimez faire.

1. Answers will vary. _____
_____

2. _____
_____

3. _____
_____

4. _____
_____

5. _____
_____

6. _____
_____

**7** | Bernard et Antoine ont fait une croisière (*went on a cruise*) dans le Pacifique. À leur retour, ils parlent de ce que tout le monde faisait au moment où il a commencé à pleuvoir pendant leur voyage. À la page 146 écrivez les réponses de chaque personne d'après l'illustration.

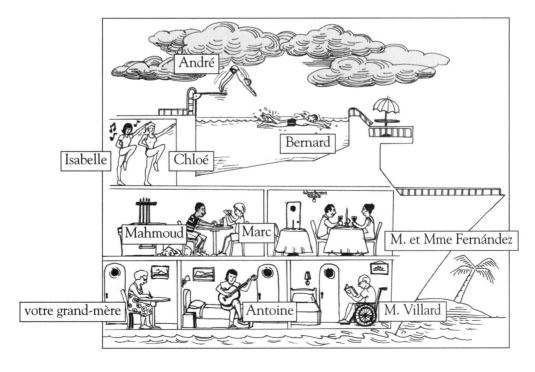

Antoine: André et toi, où étiez-vous quand il a commencé à pleuvoir?

Bernard: <u>Nous étions à la piscine quand il a commencé à pleuvoir.</u>

Antoine: Qu'est-ce que tu faisais?

Bernard: <u>Je nageais.</u>

Antoine: Et André, qu'est-ce qu'il faisait?

Bernard: <u>Il plongeait.</u>

Chloé et Isabelle, qu'est-ce qu'elles faisaient?

Antoine: <u>Elles faisaient de l'aérobic.</u>

Bernard: Et M. et Mme Fernández?

Antoine: <u>Ils mangeaient.</u>

Bernard: Qu'est-ce que Marc et Mahmoud faisaient?

Antoine: <u>Ils jouaient aux cartes.</u>

Bernard: Et le chien de Mahmoud?

Antoine: <u>Il dormait.</u>

Sais-tu où ma grand-mère et moi, nous étions?

Bernard: <u>Vous étiez dans vos chambres.</u>

Antoine: Et qu'est-ce que M. Villard faisait?

Bernard: <u>Il lisait un livre.</u>

---

**8** Simplifiez les phrases suivantes. Faites des généralisations et utilisez la forme convenable de l'adjectif **tout** dans chaque phrase.

**Modèle:** Ma grand-mère et mon grand-père nous ont rendu visite en janvier, en février et en mars. Ils vont nous rendre visite en avril aussi.

*Ils nous rendent visite tous les mois.*

1. Mes amis et moi, nous sommes allés au cinéma le vendredi 4, le mercredi 9 et le samedi 19. Nous allons aussi aller au cinéma le mardi 22.

   <u>Nous allons au cinéma toutes les semaines.</u>

2. Mon prof de français est allé en France l'année dernière et cette année. Il va aussi aller en France l'année prochaine.

   <u>Il va en France tous les ans.</u>

3. Mes parents sont allés à la Guadeloupe en juin 2000, en août 2001, en juillet 2002 et ils vont aussi aller à la Guadeloupe cet été.

   <u>Ils vont à la Guadeloupe tous les étés.</u>

4. Il y avait trois bracelets en or dans cette boutique. Jacqueline vient d'acheter ces trois bracelets en or.

   <u>Elle vient d'acheter tous les bracelets en or.</u>

5. Michèle est fatiguée du matin au soir chaque jour, même pendant le weekend. Elle est fatiguée au printemps, en été, en automne et en hiver.

    Elle est fatiguée tout le temps.

6. Ma tante regarde la télé quand elle se lève le matin et elle continue à la regarder jusqu'à l'heure de se coucher.

    Elle regarde la télé toute la journée.

7. Mon oncle reste à Paris de janvier à décembre. Il ne quitte jamais la ville.

    Il reste à Paris toute l'année.

8. Hier matin mon père s'est levé à cinq heures et demie. Aujourd'hui il s'est levé à cinq heures et demie. Demain matin il va se lever à cinq heures et demie. Même le weekend il se lève à cinq heures et demie.

    Il se lève à cinq heures et demie tous les matins.

## 9 | Répondez aux questions d'après la **Mise au point sur... le Canada français**.

1. How many provinces are there in Canada?

    There are ten provinces in Canada.

2. Which province is the largest?

    Quebec is the largest province.

3. What percent of Quebec's French speakers do not speak English?

    Over 70 percent of Quebec's French speakers do not speak English.

4. Who discovered **la Nouvelle-France**?

    Jacques Cartier discovered **la Nouvelle-France**.

5. What was he looking for?

    He was looking for gold, diamonds and spices.

6. What did he name in honor of François I?

    He named **Mont-Royal** in honor of François I.

7. Who founded the city of Quebec?

    Samuel de Champlain founded the city of Quebec.

8. What does "Quebec" mean?

    "Quebec" means "the place where the river is narrow."

9. What was the first real colony?

    **Ville-Marie de Montréal** was the first real colony.

10. When was it established?

It was established in 1642.

11. Why was it important?

It was important as a fur trading center and as a starting point for
further explorations.

12. What happened to New France in the middle of the 18th century?

New France became the English colony Quebec.

13. What does **Je me souviens** mean?

**Je me souviens** means "I remember."

14. What is the French word for the inhabitants of Quebec?

**Québécois** is the French word for the inhabitants of Quebec.

15. What does **le Parti Québécois** want?

**Le Parti Québécois** wants self-government.

16. Why are most road signs in Quebec only in French today?

Most road signs in Quebec are only in French today because, in 1974,
French was declared to be Quebec's only official language.

17. What does **Le français, je le parle par cœur** mean?

**Le français, je le parle par cœur** means "I speak French by heart."

18. Whose rallying cry is it?

It is the rallying cry of separatists.

19. How do you say "I like to shop" in **québécois**?

**J'aime magasiner** is "I like to shop" in **québécois**.

20. What is the second largest French-speaking city in the world?

Montreal is the second largest French-speaking city in the world.

**10** | **A.** Écrivez ce que vous mangez seulement au petit déjeuner, seulement au déjeuner ou au dîner, ou à tous les repas.

des céréales

des crêpes

du café au lait

du chocolat chaud

du jus de pamplemousse

du jus de tomate

des œufs brouillés

des saucisses

des œufs sur le plat

du pain grillé

du pain perdu

du sirop d'érable

des tartines

du thé au lait

du thé au citron

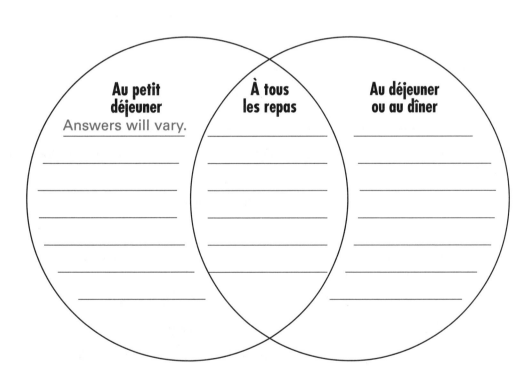

**B.** Comparez ce que vous avez écrit dans l'Activité 10A avec un(e) autre élève. Écrivez six phrases qui comparent ce que vous prenez.

Modèle: *Anne mange des saucisses seulement au petit déjeuner, mais moi, je mange des saucisses à tous les repas.*

1. Answers will vary.
   _____

2. _____
   _____

3. _____
   _____

4. _____
   _____

5. _____
   _____

6. _____
   _____

**11** Lisez le dialogue. Puis encerclez l'expression convenable entre parenthèses pour compléter la phrase.

1. M. et Mme Durieu sont (au Canada) (en Belgique).

2. Bientôt ils vont (s'habiller) (se coucher).

3. Ils veulent prendre le petit déjeuner le lendemain (dans la salle à manger) (dans leur chambre).

4. (Mme Durieu) (M. Durieu) remplit la fiche de commande.

5. Il faut utiliser (un crayon) (un stylo) pour la remplir.

6. Mme Durieu va manger (plus) (moins) que quand elle est chez elle.

7. Mme Durieu demande (des œufs sur le plat et des saucisses) (du pain et un croissant).

8. M. Durieu va boire (un thé au citron) (un café au lait).

9. M. Durieu (va mettre) (a mis) la commande sur la porte.

**12** | **A.** Skim the first paragraph of the **Enquête culturelle** to find the main topic being discussed. Next, look at the questions that follow. Then, rapidly scan the paragraph looking only for the information to answer these questions. You may respond in English.

1. On what river is Montreal located?

   Montreal is located on the St. Lawrence River.

2. What festival takes place in Montreal each summer?

   An international jazz festival takes place in Montreal each summer.

3. In what year was the world's fair in Montreal?

   There was a world's fair in Montreal in 1967.

4. What sports event took place in Montreal in 1976?

   The Summer Olympics took place in Montreal in 1976.

**B.** Now follow the same steps as you did in Activity 12A and skim the second paragraph of the **Enquête culturelle**.

1. What meals are you served in a French hotel if you take the "demi-pension" plan?

   If you take the "demi-pension" plan, you are served breakfast
   and dinner.

2. How many meals are you served if you take the "pension" plan?

   You are served three meals if you take the "pension" plan.

3. In what two places in a hotel can you find information about the meals that are served there?

   You can find information about the meals that are served in a hotel
   near the reception desk or in the rooms.

4. Where do you put your breakfast order form before going to bed?

   You put your breakfast order form outside the door of your room
   before going to bed.

**13** | Votre frère Étienne vient de rentrer de France où il a passé l'été. Dans sa valise il a des cadeaux pour toute la famille. Utilisez l'illustration et le verbe **recevoir** pour dire ce que tout le monde reçoit.

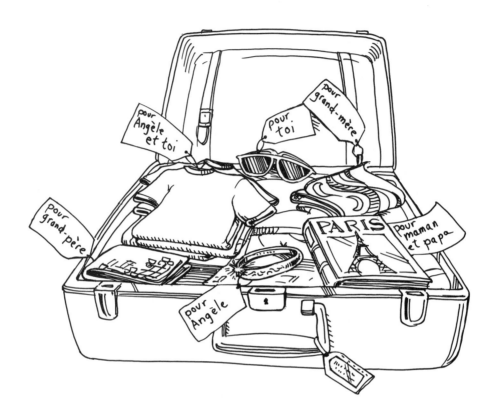

1. Mes parents <u>reçoivent un livre sur Paris.</u>

2. Ma grand-mère <u>reçoit un foulard.</u>

3. Mon grand-père <u>reçoit un portefeuille en cuir.</u>

4. Ma sœur Angèle et moi, <u>nous recevons des tee-shirts.</u>

5. Angèle <u>reçoit un bracelet.</u>

6. Moi, je <u>reçois des lunettes de soleil.</u>

**14** Vous avez des amis chez vous. Tout le monde vous a dit ce qu'il veut boire, mais vous avez oublié (*forgot*). Complétez chaque phrase avec la forme convenable du verbe **boire**.

— Qui _____boit_____ du café?

— Valérie, Gérard et moi, nous _____buvons_____ du café.

— Qui le _____boit_____ au lait?

— Valérie et Gérard le _____boivent_____ au lait. Moi, je _____bois_____ du café noir.

— Et vous, Christine et Philippe, qu'est-ce que vous _____buvez_____?

— Moi, je _____bois_____ du thé au citron. Et toi, Philippe, tu _____bois_____ du café, n'est-ce pas?

— Non, j'__ai__ déjà __bu__ trop de café aujourd'hui. Je _____bois_____ du jus d'orange.

— Ah oui, tu _____bois_____ du jus d'orange.

**15** Read the poem that follows about the St. Lawrence River by the Quebec poet Gatien Lapointe. Then answer the questions on page 154, using what you have learned in this unit about metaphors.

### Ôde au Saint-Laurent
(extrait)

1  Le monde naît en moi

2  Je suis la première enfance du monde

3  Je crée mot à mot le bonheur de l'homme

4  Et pas à pas j'efface la souffrance

5  Je suis une source en marche vers la mer

6  Et la mer remonte en moi comme un fleuve

7  Une tige étend son ombre d'oiseau sur ma poitrine

8  Cinq grands lacs ouvrent leurs doigts en fleurs

9  Mon pays chante dans toutes les langues

© L'Hexagone

1. Identify the subject and object of the metaphor in line 2. What does this metaphor mean?

   The subject is **je**. The object is **la première enfance du monde**. It means that the St. Lawrence River is innocent and pure like a child, and the basis from which the surrounding world has developed.

2. What is the effect of the St. Lawrence River on people as described in the poem? How might the river create these effects, in your opinion?

   The river creates happiness and eliminates suffering, perhaps because its waters are beautiful, a life source, and they facilitate travel and commerce.

3. Identify the subject and object of the metaphor in line 5. What image do lines 5–6 create?

   The subject is **je**. The object is **source**. It means that the river is a source of the great ocean. Together, they mingle their waters, enriching each other.

4. What aspects of the St. Lawrence River might the poet be referring to in lines 7–9?

   By speaking of birds and flowers, the poet creates an image of lightness and beauty. He uses personification by describing the Great Lakes as the fingers of a hand. The many languages spoken by people living on the banks of the St. Lawrence River are recognized and respected, including French, English and the languages of American and Canadian native peoples (**Mon pays chante dans toutes les langues**).

5. How do the two Quebec poets Vigneault and Lapointe depict nature in the poems that you have read in this unit? According to them, do you think nature plays an important role in French-Canadian life?

   Both poets show a real sensitivity to the beauty of nature and to its importance in the day-to-day life of people.

# Unité 9

## Des gens célèbres du monde francophone

**Leçon A**

**1** | Complétez les mots croisés. Les expressions viennent du vocabulaire de cette leçon et se réfèrent aux professions et aux métiers.

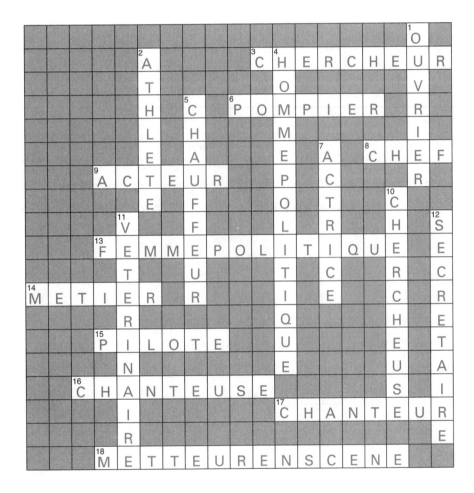

1. Le travail qu'on fait est son ___14 H___.

2. Sting est un ___17 H___ célèbre.

3. Céline Dion est une ___16 H___ célèbre.

4. Un(e) ___2 V___ fait du sport.

5. François Truffaut est ___18 H___, et Spike Lee et Oliver Stone aussi.

6.  Au restaurant c'est le ___8 H___ qui prépare les repas.

7.  Un homme qui travaille avec ses mains pour faire quelque chose est un ___1 V___.

8.  Quand on prend un taxi, on donne de l'argent au ___5 V___.

9.  On téléphone au ___6 H___ pour lui demander de venir vite vous aider.

10. Gérard Depardieu est un ___9 H___ français qui a joué dans beaucoup de films.

11. Isabelle Adjani est une ___7 V___ française célèbre, et Brigitte Bardot aussi.

12. Un ___11 V___ aide les animaux.

13. Louis Pasteur était ___3 H___.

14. Marie Curie était ___10 V___.

15. Souvent un(e) ___12 V___ écrit des lettres sur ordinateur.

16. Un ___15 H___ voyage beaucoup en avion.

17. George W. Bush est un ___4 V___ aux États-Unis et Jacques Chirac fait ce métier en France.

18. Margaret Thatcher était une ___13 H___ célèbre, et Indira Gandhi aussi.

---

**2** | Récrivez les phrases suivantes qui décrivent des amis à l'école Louis Pasteur. Remplacez (*replace*) les mots entre parenthèses par des mots sur la liste. Faites les changements nécessaires pour avoir des phrases correctes.

| | |
|---|---|
| assis | se perfectionner |
| à son avis | se rejoindre |
| douée | sérieusement |
| en terminale | un boulot |

1.  Miloud et ses copains sont (dans leur dernière année) à l'école Louis Pasteur.
    _____ en terminale _____

2.  Après ses cours aujourd'hui, Miloud veut jouer au foot avec ses amis; il ne veut pas travailler (dur).
    _____ sérieusement _____

3.  Cet après-midi Béatrice et Robert veulent (être ensemble) à la bibliothèque pour étudier.
    _____ se rejoindre _____

4.  Quand Béatrice arrive, elle voit Robert (sur une chaise) à une table devant ses livres.
    _____ assis _____

5.  Michel a (un petit travail) qu'il fait après les cours.
    _____ un boulot _____

6. Annick est (très forte) en maths; elle est caissière au café de ses parents.

   <u>douée</u>

7. Caroline dit qu'elle va vite finir le travail pour son cours d'espagnol. (Elle pense que) les devoirs sont faciles.

   <u>À son avis</u>

8. Didier aime l'allemand. Il travaille tous les jours pour (devenir très fort) en allemand.

   <u>se perfectionner</u>

**3** Choisissez l'expression à droite qui correspond à sa description à gauche. Utilisez l'**Enquête culturelle** pour trouver les réponses.

<u>f</u>  1. C'est l'examen nécessaire pour continuer ses études à l'université.

<u>a</u>  2. Elle est née en Pologne.

<u>c</u>  3. Ce sont les universités françaises.

<u>d</u>  4. C'est un acteur qui est très célèbre.

<u>e</u>  5. Ils veulent changer le système scolaire.

<u>g</u>  6. Avec sa femme il a découvert la radioactivité.

<u>b</u>  7. C'est une actrice qui a joué dans le film *La Reine Margot*.

a. Marie Curie

b. Isabelle Adjani

c. les facs

d. Gérard Depardieu

e. les étudiants

f. le bac

g. Pierre Curie

**4** Vous êtes écrivain pour l'annuaire (*yearbook*) de votre école. Avec votre copine Martine, vous compilez les résultats d'une enquête des élèves en terminale. Posez des questions à Martine sur ce qu'ils ont écrit. Suivez les modèles.

**Modèles:** Chloé va être <u>chanteuse</u>.

*Qu'est-ce que Chloé va être?*

<u>Frédéric</u> veut devenir vétérinaire.

*Qui veut devenir vétérinaire? / Qui est-ce qui veut devenir vétérinaire?*

<u>Le théâtre</u> intéresse Florence.

*Qu'est-ce qui intéresse Florence?*

Théo pense à <u>se perfectionner en musique</u>.

*À quoi est-ce que Théo pense?*

1. Gabriel veut être <u>acteur</u>.

   Qu'est-ce que Gabriel veut être? _____

2. <u>Le cinéma</u> intéresse Roger.

   Qu'est-ce qui intéresse Roger? _____

3. <u>Sabrina</u> va devenir femme politique.

   Qui / qui est-ce qui va devenir femme politique? _____

4. Olivier pense étudier avec <u>Marcel Marceau</u>.

   Avec qui est-ce qu'Olivier pense étudier? _____

5. <u>L'informatique</u> intéresse Khadim.

   Qu'est-ce qui intéresse Khadim? _____

6. Laure et Saleh veulent être <u>chanteuses</u>.

   Qu'est-ce que Laure et Saleh veulent être? _____

7. Pierre a besoin de <u>continuer ses études</u>.

   De quoi est-ce que Pierre a besoin? _____

8. <u>Robert</u> va devenir pompier.

   Qui / qui est-ce qui va devenir pompier? _____

9. Il n'a pas besoin d'<u>aller à l'université</u>.

   De quoi est-ce qu'il n'a pas besoin? _____

10. <u>Agnès</u> va être secrétaire.

    Qui / qui est-ce qui va être secrétaire? _____

11. <u>Les sciences</u> intéressent Élisabeth.

    Qu'est-ce qui intéresse Élisabeth? _____

12. Antoine et Édouard parlent d'<u>être athlètes</u>.

    De quoi est-ce qu'Antoine et Édouard parlent? _____

**5** Valérie, Isabelle, Gérard et Marie-Alix sont en train de parler de leurs copains. Remplissez les blancs avec la forme convenable de **croire**.

— Je _____crois_____ qu'Abdoul va devenir médecin.

— Et Jérémy? Il veut être metteur en scène, n'est-ce pas?

— Tu _____crois_____? Ses parents _____croient_____ qu'il doit aller à l'université. Ils _____croient_____ qu'il doit étudier les sciences. Son prof de chimie _____croit_____ qu'il doit être chercheur scientifique.

— Mais Jérémy est formidable comme acteur! Gérard et Marie-Alix, que _____croyez_____-vous? Vous _____croyez_____ que Jérémy va être content comme chercheur?

— Je _____crois_____ que non.

— Nous _____croyons_____ qu'il va devenir un metteur en scène célèbre!

— Mais sa sœur m'a dit qu'il allait commencer ses études en sciences à l'université en septembre.

— Elle me l'a dit aussi, mais je ne l'_____ai_____ pas _____crue_____.

# Leçon B

**6** | Indiquez l'ordre chronologique des événements (*events*) suivants dans l'histoire de Jeanne d'Arc. Numérotez (*number*) les phrases de "1" à "11."

| | |
|---|---|
| 9 | On a vendu Jeanne aux Anglais. |
| 4 | Jeanne a entendu des voix qui lui ont dit d'aller aider Charles VII. |
| 8 | Charles est devenu roi. |
| 2 | Jeanne est née. |
| 7 | Jeanne a délivré la ville d'Orléans des Anglais. |
| 10 | Les Anglais l'ont brûlée. |
| 6 | Charles ne voulait pas accepter son aide. |
| 11 | Jeanne d'Arc est devenue sainte. |
| 3 | Jeanne avait 13 ans. |
| 5 | Jeanne a offert de l'aide à Charles. |
| 1 | La guerre de Cent Ans a commencé. |

**7** | Répondez aux questions suivantes d'après l'**Enquête culturelle**.

1. Qui a reçu sa liberté en 1598?

   Les protestants français ont reçu leur liberté en 1598.

2. Qui était l'un des rois les plus populaires dans l'histoire de France?

   Henri IV était l'un des rois les plus populaires dans l'histoire de France.

3. Quelle ville est située sur la Seine au nord-ouest de Paris?

   Rouen est située sur la Seine au nord-ouest de Paris.

4. Quel artiste a reproduit la cathédrale gothique de Rouen dans ses beaux tableaux?

   Claude Monet a reproduit la cathédrale gothique de Rouen dans ses beaux tableaux.

5. Quel est le nom de l'église qu'on a construite à Rouen en 1979?

   On a construit l'église Sainte-Jeanne-d'Arc à Rouen en 1979.

6. Pendant la guerre de Cent Ans quel pays voulait contrôler le nord de la France?

   L'Angleterre voulait contrôler le nord de la France pendant la guerre de Cent Ans.

**8** | Mme Dubois, qui est en voyage samedi, téléphone à son mari le matin et le soir. La deuxième fois qu'elle lui téléphone, elle lui demande ce que tout le monde a fait pendant la journée. Utilisez le **passé composé** et l'**imparfait** pour écrire chaque question qu'elle pose. Suivez le modèle.

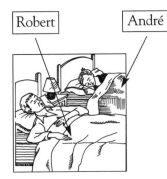

Robert     André

**Modèle:** 7h00 / tu / se réveiller

*À 7h00, quand tu t'es réveillé, est-ce que Robert et André dormaient?*

Robert

1. 7h30 / je / se lever

   À 7h30, quand je me suis levée, est-ce que Robert prenait son petit déjeuner?

Mme Dubois     M. Dubois

2. 9h00 / Jacques / quitter la maison

   À 9h00, quand Jacques a quitté la maison, est-ce que nous parlions?

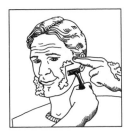

M. Dubois

3. 9h10 / André / finir de s'habiller

   À 9h10, quand André a fini de s'habiller, est-ce que tu te rasais?

Vanessa

M. Dubois | André

4. 9h15 / André et toi / s'asseoir pour prendre le petit déjeuner

À 9h15, quand André et toi, vous vous êtes assis pour

prendre le petit déjeuner, est-ce que Vanessa se maquillait?

5. 9h45 / Véronique et Louise / partir à la maison de Jeannette

À 9h45, quand Véronique et Louise sont parties à la maison

de Jeannette, est-ce qu'André et toi, vous passiez l'aspirateur?

Robert

6. 11h00 / tu / finir de tondre la pelouse

À 11h00, quand tu as fini de tondre la pelouse, est-ce que

Robert regardait la télé?

M. Dubois

7. 12h30 / Véronique et Jacques / revenir

À 12h30, quand Véronique et Jacques sont revenus,

est-ce que tu préparais le déjeuner?

**9** Savez-vous qui était le premier héros français? On dit que c'est Vercingétorix, le chef (*leader*) des Gaulois contre (*against*) Jules César. Complétez les phrases avec l'**imparfait** ou le **passé composé** du verbe indiqué pour apprendre un peu sur lui.

Vercingétorix _____est né_____ (naître) dans le pays des Arvernes, en l'an 72 avant Jésus-Christ. Les gens qui _____habitaient_____ (habiter) la Gaule, ou la France, _____étaient_____ (être) les Gaulois. Comme beaucoup de Gaulois, Vercingétorix ne _____connaissait_____ (connaître) pas bien les autres pays. En l'an 52 avant Jésus-Christ, Jules César et son armée _____sont arrivés_____ (arriver) dans le pays des Arvernes. Ils _____pensaient_____ (penser) à le prendre mais Vercingétorix ne _____voulait_____ (vouloir) pas donner son pays à Jules César. Vercingétorix _____a demandé_____ (demander) aux autres Gaulois de faire la guerre. Mais ils _____ont perdu_____ (perdre) la ville de Gergovie. Vercingétorix ne _____voulait_____ (vouloir) pas donner son pays à César, mais ses hommes _____avaient_____ (avoir) faim. Quand le dernier jour _____est arrivé_____ (arriver), il _____a mis_____ (mettre) ses plus beaux vêtements et il _____est allé_____ (aller) à Jules César pour lui donner son pays et terminer la guerre. Jules César _____a pris_____ (prendre) Vercingétorix et l'_____a emmené_____ (emmener) à Rome où il _____est mort_____ (mourir) six ans plus tard. Vercingétorix _____est devenu_____ (devenir) le premier héros national français.

**10** Écrivez la lettre de la description à droite dans le blanc convenable d'après la **Mise au point sur... des gens célèbres du monde francophone**.

| | | |
|---|---|---|
| j | 1. Charles de Gaulle | a. a novel about Jean Valjean, who struggles to lead an honest life |
| o | 2. Coco Chanel | b. allows patients to develop a resistance to microbes |
| q | 3. creativity, independence, wit | c. a play that criticized the lack of education given to young women |
| n | 4. François Truffaut | d. crowned himself emperor |
| r | 5. **hôtel des Invalides** | e. the current resident of the Élysée Palace |
| e | 6. Jacques Chirac | f. the battle at the end of the "Hundred Days" |
| h | 7. Jean Galfione | g. won two gold medals in the 1996 Olympic Games |
| c | 8. *L'École des femmes* | h. a famous French pole vaulter |
| u | 9. **L'état, c'est moi.** | i. **le Roi-Soleil**, who reigned for 72 years |
| p | 10. *Le Bourgeois gentilhomme* | j. the leader of the French Resistance against Germany |
| s | 11. Legion of Honor | k. a love story about Quasimodo, a deformed bell ringer |
| a | 12. *Les Misérables* | l. a play that satirized religious hypocrisy |
| w | 13. Louis Pasteur | m. a novelist, playwright and poet of the romantic movement |
| i | 14. Louis XIV | n. one of the leading **nouvelle vague** film directors |
| g | 15. Marie-José Pérec | o. one of the most influential designers of the 20th century |
| t | 16. Molière | p. a play that poked fun at social conventions and human nature |
| d | 17. Napoléon I | q. qualities valued by the French |
| k | 18. *Notre-Dame de Paris* | r. the final resting place of Napoléon I |
| v | 19. pasteurization | s. rewards military and civil excellence |
| x | 20. Surya Bonaly | t. satirized 17th century French society in his comedies |
| l | 21. *Tartuffe* | u. how Louis XIV described himself |
| b | 22. vaccination | v. the application of controlled heat to preserve liquids |
| m | 23. Victor Hugo | w. the founder of microbiology |
| f | 24. Waterloo | x. a world-class figure skater |

**11** Jeannette et Lydie regardent les petites annonces (*personal ads*) dans le journal pour s'amuser. Trouvez la petite annonce qu'elles décrivent et écrivez le nom de la personne ou son numéro de référence dans le blanc.

---

■ **Sylvie, 27 ans, célibataire,** médecin, cultivée, douce, sensuelle, elle aime la littérature, la musique, les arts. Extrêmement intéressante elle est à la recherche de la tendresse et d'un amour partagé dans l'échange et le dialogue. **Réf. 2.**

■ **Bel homme, 36 ans, veuf, directeur commercial,** très bien sur tous les plans, de l'humour, très intuitif, de la personnalité, sa fillette sera heureuse comme lui, si vous avez des enfants. Il vous espère agréable, bon niveau de culture. **Réf. 14.**

■ **Souriante, intelligente, active, niveau supérieur, âgée de 60 ans,** veuve, elle aime les hommes cultivés, équilibrés, câlins, aimant voyager et bricoler. **Réf. 9.**

■ **Petite fille de 5 ans cherche papa gâteau** pour câlins partagés et un compagnon d'amour pour sa très jolie maman qui est courageuse, vaillante, franche. Elle a 25 ans. **Réf. 316**

■ **Célibataire, 34 ans,** fonctionnaire, sérieux, sensible, sportif, s'intéressant à beaucoup de choses, souhaite union dans la tendresse, la passion, son but: une vie de couple réussie. **Réf. 151.**

■ **Elle a l'éducation,** la simplicité, la courtoisie: Claire, 57 ans, est une dame sensible qui aime la nature, les longues promenades, les dialogues profonds; retraitée secrétaire de direction, veuve, elle désire Monsieur, une vie sereine dans la tendresse. **Réf. 78.**

---

Jeannette: Trouvons quelqu'un pour mon oncle Pierre. Il cherche une dame sérieuse.

Lydie:  Voici une dame sérieuse qui aime lire et qui aime la musique. De plus, elle a une bonne profession. _____Sylvie (Réf. 2)_____

Jeannette: Non, elle est beaucoup trop jeune! Mon oncle a soixante ans.

Lydie:  Bien. Voici une dame de son âge. Elle est intelligente et active, et elle aime voyager. _____Réf. 9_____

Jeannette: Possible. Mais il est moins actif maintenant et il n'aime plus voyager.

Lydie:  Dommage! Elle semble intéressante.

Jeannette: Voilà! Regarde! Cette dame est parfaite pour lui!

Lydie:  Qui? Elle? Oui, elle est polie et semble assez sérieuse.

Jeannette: Oui, et elle a beaucoup étudié. _____Claire (Réf. 78)_____

Lydie:  D'accord. Bien. Maintenant qui est-ce qu'on peut trouver?

Jeannette: Je sais! Notre prof de français! Elle est très aimable.

Lydie: Elle a quel âge?

Jeannette: Je crois qu'elle a trente-deux, trente-trois ans, peut-être.

Lydie: Voilà un homme de trente-quatre ans.

Jeannette: Non, pas lui. Il semble trop sérieux. Je la vois avec quelqu'un qui est très amusant.
_____ Réf. 151 _____

Lydie: Regarde! C'est lui, n'est-ce pas? Il est beau. Il semble content et amusant et il a de la personnalité. De plus, il a une petite fille. _____ Réf. 14 _____

Jeannette: Oui, Mademoiselle Desrosiers adore les enfants! C'est parfait! On a trouvé quelqu'un pour oncle Pierre et pour Mademoiselle Desrosiers. Ton frère, alors. Il vient de finir ses études en sciences, n'est-ce pas?

Lydie: Oui, et lui aussi, il veut une femme qui est amusante et courageuse.

Jeannette: Voici une jeune femme de son âge qui est courageuse. _____ Réf. 316 _____

Lydie: Mais elle a déjà un enfant. Mon frère n'est pas prêt à être papa.

Jeannette: Tant pis!

---

**12** Répondez aux questions d'après le dialogue.

1. Comment est-ce que Delphine connaît Sabrina et Laïla?

   Elles sont camarades de classe.

2. Comment est la chambre de Delphine, selon Sabrina?

   Selon Sabrina, c'est mignon.

3. Qu'est-ce que Delphine regardait?

   Delphine regardait des clips de Patricia Kaas.

4. Comment sont les chansons de Patricia Kaas, d'après Delphine?

   D'après Delphine, ses chansons sont sensibles et honnêtes.

5. Est-ce que Delphine pense que la vie de Patricia Kaas est dure?

   Non, elle pense que Patricia Kaas vit bien.

6. Où est-ce que Patricia Kaas est allée en tournée?

   Elle est allée aux États-Unis.

7. Où est-elle maintenant?

   Elle est en France. / Elle vient de rentrer en France.

8. De qui est-ce que Laïla est une fana?

   Laïla est une fana d'écrivains. / Laïla est une fana de l'écrivain

   Maryse Condé.

9. Et Sabrina, qui est-ce qu'elle admire surtout?

   Sabrina admire surtout Éric Cantona.

10. Qu'est-ce qu'elle adore regarder?

    Elle adore regarder ses matchs de foot à la télé.

---

**13** Qui est-ce? Lisez l'**Enquête culturelle**. Puis décidez si la phrase décrit Patricia Kaas, Maryse Condé ou Éric Cantona.

1. C'est un grand champion de foot. _____ Éric Cantona _____

2. Elle est née en Alsace. _____ Patricia Kaas _____

3. Elle a écrit le roman *Moi, Tituba, sorcière Noire de Salem*. _____ Maryse Condé _____

4. Elle est née à Pointe-à-Pitre. _____ Maryse Condé _____

5. Elle a commencé sa carrière quand elle avait 13 ans. _____ Patricia Kaas _____

6. Elle a reçu le Prix littéraire de la Femme. _____ Maryse Condé _____

7. C'est une chanteuse populaire. _____ Patricia Kaas _____

8. C'est un athlète courageux. _____ Éric Cantona _____

---

**14** Complétez les blancs avec les formes convenables du verbe **vivre**. Puis écrivez les lettres encerclées pour apprendre un slogan célèbre! Deux des lettres sont déjà encerclées.

1. Je (v) i s avec mes parents.

2. Est-ce que tu v (i) s près de l'école?

3. Nous v i (v) o n s aux États-Unis.

4. Où est-ce que vous v i v (e) z?

5. Éric Cantona? I(l) ne v i t plus en France.

6. M. Cantona (a) v é c u en France quand il jouait au foot pour Marseille.

7. La chanteuse Patricia Kaas v i t en (f)rance.

8. Il faut manger pour v i v (r) e!

9. Est-ce que tu (a) s déjà v é c u en Europe?

10. Vincent Van Gogh, Pablo Picasso et Marc Chagall sont des artistes qui o (n) t v é c u en France.

11. La chanteuse Édith Piaf a v é (c) u toute sa vie en France.

12. Aujourd'hui beaucoup de gens célèbres v i v (e) n t en Suisse parce qu'on v i t bien là-bas.

Voilà le slogan: V i v e l a F r a n c e!

**15** Lisez la liste suivante des pièces (*plays*) à Paris et puis répondez aux questions. Utilisez le pronom **y** dans vos réponses pour remplacer les phrases soulignées.

# Lucernaire Centre National d'Art et d'Essai

53, rue Notre Dame des Champs (6e). 01.45.44.57.34. Mo Vavin et Notre Dame des Champs. Salles climatisées. Loc. de 14h00 à 19h00. Loc. tél. par carte bleue de 9h00 à 17h00. Pl : 21,34 ou 17,99 €; TR : 12,81 ou 10,82 €. Relâche Dim. **Salles climatisées.**

**Théâtre Noir (130 places).**
À 18h45. À 18h30 jusqu'au 7 août. Relâche du 8 au 15 août, sauf le 9 août :
**Le petit prince**
D'Antoine de Saint-Exupéry. Adaptation et mise en scène Jacques Ardouin. Avec en alternance (les adultes) : Guy Gravis, David Clair, Jacques Ardouin, Frédéric Roger, Daniel Royan, Pascal Perréon - (Les enfants) : Patrice Fay, Damien Morineaux, Julien le Stum, Benjamin Rotenberg, Grégoire Hiesse, Damien Bellet, Julien Salabelle, Raphaël Rueb.
Récit d'Antoine de Saint-Exupéry, où se mêlent au merveilleux, la connaissance délicate des relations que créent l'amour et l'amitié. Un texte universel, symbole de paix.

À 20h00. Relâche jusqu'au 6 août inclus :
**Feu la mère de Madame!**
De Georges Feydeau. Mise en scène Jean-Marc Brondolo. Avec Diane Pierens, Philippe Herisson, Valérie Lacombe, Dominique Thomas.
Une délirante comédie de Georges Feydeau, en noir et blanc, rendant ainsi hommage au cinéma muet. Une des pièces les plus connues de l'auteur.

À 21h30 :
**Le rire de Tchekhov (L'ours et La demande en mariage)**
Deux comédies en un acte d'Anton Tchekhov.

Mise en scène Pavel Khomsky. Avec Robert Delarue, Joseph Malerba, Beata Nilska.
Pavel Khomsky, principal metteur en scène du Théâtre Académique de Moscou, le Mossoviet, met en scène deux comédies très connues de Tchekhov : « L'Ours » et « La demande en mariage ».

**Théâtre Rouge (130 places).**
À 18h00 :
**Beréshit (Genèse)**
D'André Chouraqui. Adaptation et mise en scène Marc Normant. Genèse contée par Marc Normant. De la Création à Noé, d'Abraham à Jacob, la formidable histoire émouvante et drôle de nos racines portée au théâtre.

À 20h00 :
**Adieu Monsieur Tchekhov**
De Céline Monsarrat. Mise en scène Michel Papineschi. Avec Michel Papineschi, Bertrand Metraux, Vincent Violette, Céline Monsarrat, Anie Balestra.
À Yalta entre 1899 et 1904, nous assistons aux dernières années de la vie de Tchekhov entouré de sa sœur Marie, de sa femme Olga, de ses amis Bounine et Gorki. Tchekhov, la Passion dépassionnée... l'Enchanteur désenchanté...

À 21h30. À partir du 12 août :
**Le Bestiaire**
De et par Daniel L'Homond.
Daniel L'Homond, un conteur pas comme les autres, conjugue le fantastique au quotidien avec l'accent du terroir. Un grand souffle parcourt le « Bestiaire », et fait de son auteur la révélation d'un talent exceptionnel.

**Modèle:** Est-ce qu'on trouve plus d'un théâtre <u>dans ce centre</u>?

*Oui, on y trouve deux théâtres.*

1. Est-ce qu'on peut téléphoner <u>au centre</u> pour réserver des places?

   Oui, on peut y téléphoner.

2. À quelle heure est-ce qu'on voit *Le petit prince* <u>au Théâtre Noir</u> le 20 août?

   On y voit *Le petit prince* à 18h45.

3. Qu'est-ce qu'on voit <u>au Théâtre Noir</u> à 20h00?

   On y voit *Feu la mère de Madame!* à 20h00.

4. Quels acteurs et quelles actrices jouent <u>dans *Le rire de Tchekhov*</u>?

   Robert Delarue, Joseph Malerba et Beata Nilska y jouent.

5. À quelle heure est-ce qu'on doit être assis <u>dans sa place</u> pour voir *Adieu Monsieur Tchekhov*?

   On doit y être assis à 20h00.

6. Dans *Adieu Monsieur Tchekhov*, est-ce qu'on est <u>à Moscou</u>?

   Non, on n'y est pas.

7. Est-ce que vous allez souvent <u>au théâtre</u>?

   Answers will vary.

8. Est-ce que vous voulez aller <u>au théâtre à Paris</u>?

   Answers will vary.

---

**16** | **A.** In one of Marcel Pagnol's autobiographical novels, *Le Temps des secrets*, he describes his first crush at the age of ten. To better understand the story and to predict what will happen later on, analyze what there is about this girl that makes her so appealing to Marcel. In the first column of the chart on page 170 are several of Marcel's observations about the girl. In the second column, copy sentences or parts of sentences from the story that support each of these observations. The first sentence is done for you.

C'ÉTAIT une fille de mon âge, mais qui ne ressemblait en rien à celles que j'avais connues. . . . . ..
Immobile et silencieuse, elle me regardait toute pâle; ses yeux étaient immenses, et violets comme ses iris.
Elle ne paraissait ni effrayée ni surprise, mais elle ne souriait pas, et elle ne disait rien, aussi mystérieuse qu'une fée dans un tableau.
Je fis un pas vers elle: elle sauta légèrement sur le tapis de thym.
Elle n'était pas plus grande que moi, et je vis que ce n'était pas une fée, car elle avait aux pieds des sandales blanches et bleues comme les miennes.
Sérieuse, et le menton levé, elle me demanda:
—Quel est le chemin qui mène aux Bellons?

Elle avait une jolie voix, toute claire, une espèce d'accent pointu, comme les vendeuses des Nouvelles Galeries, et ses larges yeux étaient rigoureusement pareils.
Je répondis aussitôt:
—Tu t'es perdue?
Elle fit un pas en arrière, en me regardant à travers ses fleurs.
—Oui, dit-elle, je me suis perdue, mais ce n'est pas une raison pour me tutoyer. Je ne suis pas une paysanne.
Je la trouvai bien prétentieuse, et j'en conclus qu'elle était riche, ce qui me parut confirmé par la propreté et l'éclat de ses vêtements.
Ses chaussettes blanches étaient bien tirées, sa robe bleue brillait comme du satin, et je vis, à travers ses fleurs, qu'elle portait autour du cou une petite chaîne d'or qui soutenait une médaille.

© Éditions Bernard de Fallois

| Marcel's Observations | Sentences to Support Observations |
|---|---|
| What he finds attractive about the girl's appearance | ... qui ne ressemblait en rien à celles que j'avais connues....<br><br>... ses yeux étaient immenses, et violets....; ... elle avait aux pieds des sandales blanches et bleues comme les miennes.; ... et ses larges yeux étaient rigoureusement pareils.; Ses chaussettes blanches étaient bien tirées, sa robe bleue brillait comme du satin....; ... elle portait autour du cou une petite chaîne d'or qui soutenait une médaille. |
| What other characteristics he notices | ... aussi mystérieuse qu'une fée....; Elle avait une jolie voix, toute claire....; Immobile et silencieuse....; Sérieuse, et le menton levé....; ... et elle ne disait rien....; Je la trouvai bien prétentieuse.... |

**B.** After completing the chart in Activity 16A, write a paragraph in which you make a prediction about how their first meeting will end. Will Marcel simply give her directions to her destination? Will he take her there? Will they ever see each other again? What will their relationship be like in the future?

Answers will vary.

_____

_____

_____

_____

_____

_____

_____

_____

_____

_____

_____

# Unité 10     *Notre monde*

**1** Utilisez le nouveau vocabulaire de cette leçon qui se réfère aux pays et aux nationalités pour remplir les blancs.

1. _____Monaco_____ est un petit pays au sud de la France. Au moment de son mariage à Rainier III, l'actrice américaine Grace Kelly est devenue _____monégasque_____. Leurs enfants, bien sûr, sont _____monégasques_____.

2. L'artiste Paul Gauguin a voyagé à _____Tahiti_____. Là, il a fait des tableaux de femmes _____tahitiennes_____. Ses tableaux _____tahitiens_____ sont célèbres.

3. Le _____Cameroun_____ est un pays à l'ouest de l'Afrique. Pour préparer des plats _____camerounais_____, on utilise des fruits, comme les bananes _____camerounaises_____. Le café _____camerounais_____ est très bon aussi.

4. _____Haïti_____ est un pays dans une île près des États-Unis. Les tableaux _____haïtiens_____ sont beaux et célèbres, et la musique _____haïtienne_____ est intéressante.

5. Au sud d'Haïti, il y a deux îles qui font la _____Guadeloupe_____. Les plages _____guadeloupéennes_____ sont très belles, mais quand on parle du temps _____guadeloupéen_____, il faut dire qu'il peut faire du soleil mais il pleut souvent.

6. Si on voyage au sud de la Guadeloupe, on arrive à la _____Martinique_____. Aimé Césaire est un écrivain _____martiniquais_____ qui écrit sur la vie _____martiniquaise_____ et sur la vie des gens noirs.

7. Les hommes et les femmes qui habitent en _____Guyane française_____, un petit pays près de la Martinique mais qui n'est pas une île, ont la nationalité française.

8. _____Madagascar_____ est une grande île près de l'Afrique. On dit que les voyageurs aiment bien cette île. Les vues sur la mer et les plages _____malgaches_____ sont formidables. Les plats _____malgaches_____ sont bons.

**2** | Encerclez le mot ou l'expression convenable entre parenthèses d'après le dialogue.

1. Avant de déménager à la Martinique, Frédéric habitait (à Tahiti) (en Haïti).

2. Nadia travaille comme (cuisinière) (serveuse) au restaurant de ses parents.

3. Frédéric vient au restaurant (pour déjeuner) (pour prendre le dîner).

4. Il (aime bien) (ne connaît pas) la cuisine martiniquaise.

5. Il demande (du coq au vin) (des coquilles Saint-Jacques au curry).

6. Nadia adore (danser) (faire de la plongée sous-marine).

7. Frédéric l'invite à sortir (à la plage) (en boîte).

8. Elle (accepte) (n'accepte pas) de sortir avec lui.

9. Nadia ne veut pas rentrer (tôt) (tard).

**3** | Répondez aux questions suivantes d'après l'**Enquête culturelle**.

1. Dans quel océan est Tahiti?

   Tahiti est dans l'océan Pacifique.

2. Est-ce que Tahiti est une colonie française aujourd'hui?

   Non, aujourd'hui Tahiti est un territoire d'outre-mer de la

   Polynésie française.

3. Qu'est-ce que les Tahitiens cultivent?

   Les Tahitiens cultivent le café, la vanille et la canne à sucre.

4. Comment est-ce que les lycées reçoivent souvent leur nom dans le monde francophone?

   Les lycées reçoivent souvent leur nom d'une personne célèbre.

5. Qui était Victor Schœlcher?

   Victor Schœlcher était un homme politique qui a aidé les esclaves

   des colonies à obtenir leur liberté.

6. Pourquoi est-ce qu'il y a un peu de tout dans la cuisine martiniquaise?

   Il y a un peu de tout dans la cuisine martiniquaise parce qu'elle reflète

   la population diverse de l'île: caraïbe, africaine, amérindienne,

   française et asiatique.

7. Comment est-ce qu'on prépare souvent les coquilles Saint-Jacques à la Martinique?

   À la Martinique on prépare souvent les coquilles Saint-Jacques avec des

   épices fortes, comme le curry.

**4** | Paul vient de recevoir une invitation à passer un mois à la Guadeloupe chez la famille de la camarade de chambre de sa sœur, qui a un frère de son âge. Paul n'a pas encore décidé quoi faire et il parle avec son ami Francis et avec sa sœur Christine. Remplissez les blancs avec les verbes convenables au **conditionnel** qui sont dans la grille. On vous a donné la première lettre de chaque verbe.

```
N  R  A  I  S  N  O  I  R  E  S  S  A  P  Z  B  O  V
A  V  O  Y  A  G  E  R  I  O  N  S  S  A  F  M  P  T
O  S  N  O  I  R  E  S  N  A  D  P  U  E  T  A  O  I
B  S  I  A  R  E  T  S  E  R  E  R  R  Y  I  N  U  A
A  S  S  H  C  P  E  U  T  N  A  A  D  D  A  G  R  R
I  I  T  V  P  O  E  G  S  I  I  X  B  G  R  E  R  E
S  A  N  V  N  W  M  E  S  T  S  P  Q  R  D  R  A  S
I  R  B  R  H  E  R  M  A  A  S  N  M  U  U  I  I  B
S  R  V  C  R  A  D  S  E  I  U  I  O  F  A  O  S  R
I  U  E  U  I  E  L  S  N  D  R  A  I  F  N  S  N
A  O  D  E  R  R  Z  B  I  E  C  E  A  R  R  S  I  E
R  P  N  A  A  E  L  I  Z  F  R  E  R  I  E  I  A  P
V  T  I  I  M  M  R  H  I  B  A  R  A  S  F  R  O
E  S  S  R  A  I  M  E  R  A  I  S  I  A  I  C  R  H
D  D  E  S  N  O  I  R  R  E  V  N  E  T  I  T  E  D
P  S  G  M  S  N  O  I  R  E  R  T  N  E  R  S  V  A
A  S  I  A  R  V  E  D  M  A  U  R  A  I  S  N  E  R
```

Paul:        Je ne sais pas si je _____devrais_____ aller à la Martinique.

Francis:     Mais pourquoi pas? Moi, j'_____aimerais_____ bien y passer du temps!

Paul:        Mais j'allais travailler cet été pour avoir de l'argent pour l'université.

Christine:   Écoute, tu _____pourrais_____ y aller au mois de juillet, puis tu _____aurais_____ tout le mois d'août pour travailler. Tu _____devrais_____ être très content! Tu n'_____aurais_____ pas peur de voyager? C'est ça, n'est-ce pas?

Paul:        Je ne connais pas du tout la famille Lambert. Je ne _____saurais_____ pas quoi leur dire. Est-ce que Claire _____serait_____ là?

Christine:   En été? Oui, et elle t'_____aiderait_____.

Paul:        Et puis je ne _____verrais_____ pas mes amis pendant un mois.

Francis:    Quoi? Tu _____resterais_____ ici juste pour être avec tes amis? Tiens! J'ai une idée. Je _____pourrais_____ aller avec toi. Nous _____passerions_____ les journées à la plage. Nous _____mangerions_____ des fruits de mer au curry. Nous _____irions_____ en boîte chaque soir. Nous _____danserions_____ avec des filles martiniquaises. Nous _____rentrerions_____ quand nous voulions. Et nous _____enverrions_____ des cartes postales à tous nos amis.

Paul:    Ça _____serait_____ formidable! Puis nous _____voyagerions_____ ensemble à la Guadeloupe et peut-être en Guyane française aussi.

Christine:    Mais vous ne pouvez pas faire ça! Vous ne pensez jamais aux autres! Et vous ne _____seriez_____ pas du tout polis! Et les Lambert? Que _____penseraient_____-ils? Ils sont très généreux, Paul. À ta place, je leur _____dirais_____ que ça me _____ferait_____ beaucoup de plaisir de passer du temps chez eux. Puis je _____ferais_____ des réservations d'avion. Enfin je _____commencerais_____ à mettre toutes les choses qu'il _____faudrait_____ avoir avec moi à la Martinique dans ma valise. Et je _____serais_____ très heureuse!

---

**5**   Claudette et sa sœur Joëlle vont chez leur tante Madeleine pour lui demander ses idées sur un cadeau à offrir à leurs parents pour leur anniversaire de mariage. Mettez les verbes entre parenthèses à la forme convenable du **conditionnel** pour remplir les blancs.

Tante Madeleine:    Bonjour! Quelle bonne surprise! Entrez donc! Asseyez-vous! _____Voudriez_____ (vouloir)-vous quelque chose à boire?

Joëlle:    J'_____aimerais_____ (aimer) bien, merci. _____Aurais_____ (avoir)-tu du café?

Tante Madeleine:    Oui, bien sûr!

Claudette:    Moi aussi, je _____voudrais_____ (vouloir) du café.

Tante Madeleine:    Vous l'_____aimeriez_____ (aimer) avec lait?

Joëlle:    Oui, s'il te plaît, pour Claudette et moi.

Tante Madeleine:    Alors, qu'est-ce que je peux faire pour vous?

Joëlle:    Nous _____voudrions_____ (vouloir) te demander, à notre place, qu'est-ce que tu _____ferais_____ (faire) pour maman et papa?

Tante Madeleine:    Ta mère _____aimerait_____ (aimer) une nouvelle montre.

Claudette:    Ça _____coûterait_____ (coûter) trop. Et puis, qu'est-ce qu'on _____offrirait_____ (offrir) à papa?

Tante Madeleine:    D'accord. Ils n'_____auraient_____ (avoir) pas besoin de quelque chose pour la maison?

Joëlle:    Je crois que non.

Tante Madeleine:    Oh, voilà! Je sais! À votre place, je _____choisirais_____ (choisir) un bon restaurant, puis je les y _____emmènerais_____ (emmener).

Non, non. Je _____ferais_____ (faire) des réservations à un bon restaurant, puis je leur _____donnerais_____ (donner) l'argent pour le repas et je les y _____enverrais_____ (envoyer).

Claudette: Et quand ils _____seraient_____ (être) au restaurant, nous _____ferions_____ (faire) le ménage dans toute la maison. Et puis, nous _____mettrions_____ (mettre) un vase de jolies fleurs sur la table dans la salle à manger avec une belle carte.

Tante Madeleine: Et vous _____pourriez_____ (pouvoir) leur laisser un message que vous allez dormir chez votre tante favorite.

Joëlle: Parfait! Merci! Je savais que tu _____aurais_____ (avoir) de bonnes idées!

---

**6** Votre cousin vous a envoyé une carte postale de Tahiti. Mais il a mélangé (*mixed up*) les mots pour être drôle. Mettez les mots dans l'ordre convenable et récrivez les phrases.

1. avons déjà trois nous jours ici passé
2. petit nous allés dans hier soir un restaurant la plage près sommes de
3. mangé des au curry coquilles j'ai Saint-Jacques enfin
4. fruits de mer j'ai mangé des souvent
5. et ai toujours je aimés les
6. j'ai mangé bien
7. mangé j'ai beaucoup
8. j'ai franchement mangé trop
9. après un naturellement dormi mal grand repas j'ai comme ça

1. Nous avons déjà passé trois jours ici.

2. Nous sommes allés dans un petit restaurant près de la plage hier soir.

3. J'ai enfin mangé des coquilles Saint-Jacques au curry.

4. J'ai souvent mangé des fruits de mer.

5. Et je les ai toujours aimés.

6. J'ai bien mangé.

7. J'ai beaucoup mangé.

8. Franchement, j'ai trop mangé.

9. Naturellement, j'ai mal dormi après un grand repas comme ça.

## Leçon B

**7** Vous faites une liste des membres du club international de votre lycée. Écrivez le continent d'où ils viennent, et puis utilisez l'adjectif qui correspond à leur continent pour les décrire.

1. a. Jean-Guy est de Montréal. Jennifer est de Seattle. Ils viennent d'___Amérique du Nord___.

   b. Jacques est guyanais. Il vient d'___Amérique du Sud___.

   c. Jennifer est ___américaine___.

   d. Jacques est ___américain___.

2. a. Tuan est vietnamien. Son amie Kiko vient du Japon. Ils viennent d'___Asie___.

   b. Tuan est ___asiatique___.

   c. Kiko est ___asiatique___.

3. a. Yasmine vient de Tunisie. Mohamed vient du Maroc. Ils viennent d'___Afrique___.

   b. Yasmine est ___africaine___.

   c. Mohamed est ___africain___.

4. a. Josette est belge. Jean-Michel est suisse. Ils viennent d'___Europe___.

   b. Josette est ___européenne___.

   c. Jean-Michel est ___européen___.

5. a. Patrick est de Sydney. Katy est de Melbourne. Ils viennent d'___Australie___.

   b. Patrick est ___australien___.

   c. Katy est ___australienne___.

**8** | Complétez les mots croisés avec les mots ou les expressions du dialogue. Écrivez vos réponses dans les blancs.

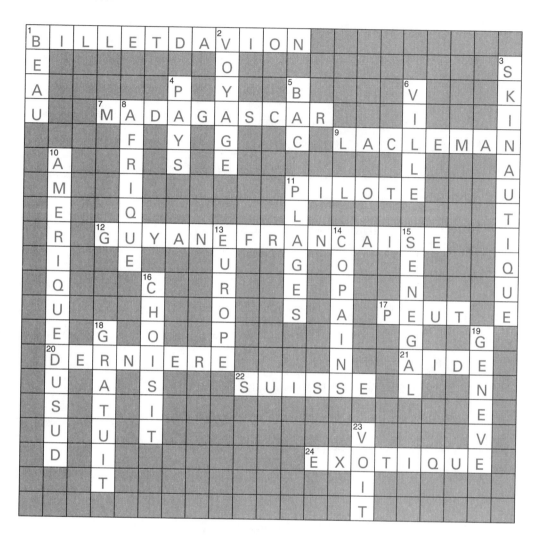

1. Benjamin vient de réussir à son ___5 V___ .

2. Une ___6 V___ est plus grande qu'un village.

3. Quand on skie sur l'eau, on fait du ___3 V___ .

4. La France, les États-Unis et le Japon sont des ___4 V___ .

5. ___7 H___ est une île au sud-est de l'Afrique.

6. La Guyane française est en ___10 V___ .

7. Il y a de belles ___11 V___ en Guyane française.

8. Le Sénégal, la Tunisie et la République Démocratique du Congo sont en ___8 V___ .

9. Si on ___21 H___ quelqu'un, on est là quand la personne a besoin de quelque chose.

10. Un pays __24 H__ est loin d'où on habite et il est quelquefois mystérieux.

11. Le __11 H__ est toujours dans l'avion pendant un vol.

12. Il faut avoir un __1 H__ pour voyager en avion.

13. Quelque chose qui ne coûte rien est __18 V__ .

14. Les __14 V__ sont des amis.

15. La __22 H__ est un pays à l'est de la France.

16. L'année avant cette année est l'année __20 H__ .

17. Quelque chose qui n'est pas moche est __1 V__ .

18. Si on a la possibilité de faire quelque chose, on __17 H__ le faire.

19. Le __9 H__ est un grand lac entre la France et la Suisse.

20. Quand on va d'un pays à l'autre, on __2 V__ .

21. La Belgique, l'Espagne et l'Italie sont en __13 V__ .

22. Quand on fait son choix, on __16 V__ .

23. La ville principale de la Suisse est __19 V__ .

24. Le __15 V__ est un pays à l'ouest de l'Afrique.

25. On __23 V__ avec les yeux.

26. Le pays francophone en Amérique du Sud est la __12 H__ .

---

**9** Répondez par **vrai** ou **faux** d'après l'**Enquête culturelle**.

__faux__ 1. Dans la classe de sixième au lycée, les élèves français se préparent pour le bac.

__vrai__ 2. Les élèves choisissent le bac selon la carrière qui les intéresse.

__faux__ 3. Le bac est un examen facile.

__faux__ 4. La Guyane française est au sud-est de l'Afrique.

__vrai__ 5. Cayenne est la capitale de la Guyane française.

__vrai__ 6. Madagascar est une île dans l'océan Indien.

__vrai__ 7. À Madagascar et en Guyane française, on cultive le riz, la canne à sucre et le tabac.

**10** Indiquez vos opinions sur les différences entre les Français et les Américains.

**Modèle:** Qui prend le dîner plus tard le soir, les Français ou les Américains?

*Les Français prennent le dîner plus tard le soir que*
*les Américains.*

1. Qui achète plus souvent du fromage, les familles françaises ou les familles américaines?

   Les familles françaises achètent plus souvent du fromage que les

   familles américaines.

2. Qui boit moins souvent du vin au dîner, les familles françaises ou les familles américaines?

   Les familles américaines boivent moins souvent du vin au dîner que

   les familles françaises.

3. Qui joue moins souvent au foot, les ados français ou les ados américains?

   Les ados américains jouent moins souvent au foot que les ados français.

4. Qui étudie plus sérieusement, les élèves français ou les élèves américains?

   Les élèves français étudient plus sérieusement que les

   élèves américains.

5. Qui fait moins souvent les devoirs, les élèves français ou les élèves américains?

   Les élèves américains font moins souvent les devoirs que les

   élèves français.

6. Qui rentre plus tôt après les cours, les professeurs français ou les professeurs américains?

   Les professeurs américains rentrent plus tôt après les cours que les

   professeurs français.

7. Qui parle plus vite, les Français ou les Américains?

   Les Français parlent plus vite que les Américains.

8. Qui voyage plus aux autres pays, les Français ou les Américains?

   Les Français voyagent plus aux autres pays que les Américains.

**11** Remplissez la grille d'après la **Mise au point sur... les pays francophones.**

|  | Senegal | Ivory Coast | Tahiti |
|---|---|---|---|
| Location | westernmost country in mainland Africa | country in West Africa on the Gulf of Guinea | island in French Polynesia (South Pacific) |
| Capital City | Dakar | Abidjan and Yamoussoukro | Papeete |
| Important Languages | Wolof and French | three ethnic languages and French | French |
| Year of Independence from France | 1960 | 1960 | still a French overseas territory |
| Major Products | peanuts, millet, minerals, fish | cocoa beans, coffee, timber (mahogany), diamonds | vanilla, coffee, coconuts, sugarcane |
| Important Historic or Contemporary Political / Economic Feature | The island of Gorée was a principal port of departure for shipping slaves to the New World. | It's one of the most prosperous and politically stable countries in West Africa. | In 1995 this was the site of controversial nuclear weapons testing by the French government. |

**Leçon C**

**12** Indiquez l'océan ou la mer à droite qui est à côté de chaque région à gauche. Écrivez la lettre convenable dans le blanc.

| | | | |
|---|---|---|---|
| __f__ | 1. Madagascar | a. | la Manche |
| __c__ | 2. l'Allemagne, l'Angleterre, la Belgique | b. | la mer des Antilles |
| __e__ | 3. l'Angleterre, le Canada, les États-Unis, la France | c. | la mer du Nord |
| __a__ | 4. l'Angleterre, la France | d. | la mer Méditerranée |
| __g__ | 5. le Canada, la Chine, les États-Unis, Tahiti | e. | l'océan Atlantique |
| __b__ | 6. la Guadeloupe, Haïti, la Martinique | f. | l'océan Indien |
| __d__ | 7. l'Algérie, la France, le Maroc, Monaco, la Tunisie | g. | l'océan Pacifique |

**13** Indiquez si chaque phrase est vraie ou fausse d'après le dialogue. Si la phrase est fausse, corrigez-la.

1. Antonine, Martine et Nora voudraient passer les vacances de printemps à la montagne.

   Faux. Antonine, Martine et Nora voudraient passer les vacances de
   printemps au bord de la mer.

2. Elles ont envie de voyager en train.

   Faux. Elles ont envie de voyager en voiture.

3. Elles sont en train de parler de leur destination.

   Vrai.

4. Antonine et Martine aiment faire du sport.

   Vrai.

5. Les jeunes filles décident d'aller à une ville très loin de Chartres.

   Faux. Elles décident d'aller à une ville assez près de Chartres où elles
   peuvent aller rapidement.

6. Étretat est sur la côte d'Azur.

   Faux. Étretat est sur la Manche.

7. Elles vont partir le premier jour des vacances.

   Vrai.

8. Elles pensent qu'il ne va pas y avoir beaucoup de voyageurs en voiture.

   Faux. Elles pensent qu'il va y avoir beaucoup de voyageurs en voiture.

**14** Choisissez l'expression à droite qui correspond à sa description à gauche d'après l'**Enquête culturelle**. Écrivez la lettre convenable dans le blanc.

| | | |
|---|---|---|
| _b_ 1. | On dit que c'est le chef-d'œuvre de l'architecture gothique. | a. Étretat |
| _d_ 2. | C'était à ce siècle qu'on a fini la cathédrale de Chartres. | b. la cathédrale de Chartres |
| _f_ 3. | Beaucoup de Français prennent leurs grandes vacances pendant un de ces deux mois. | c. du soleil, du sport et de la campagne |
| _c_ 4. | Les jeunes Français en profitent pendant les vacances scolaires. | d. XIII$^e$ |
| _g_ 5. | Elle a reçu son nom à cause de la couleur de l'eau de la mer Méditerranée. | e. Biarritz |
| _e_ 6. | Beaucoup d'Européens y viennent pour faire du surf et de la planche à voile. | f. juillet ou août |
| _a_ 7. | Monet et Courbet ont fait de beaux tableaux de la côte près de cette ville. | g. la côte d'Azur |

**15** Vous cherchez un restaurant bon marché à Nice. Répondez aux questions en phrases complètes d'après la brochure. Remplacez les mots soulignés par **en**.

| | | | CONFORT SPÉCIALITÉS | |
|---|---|---|---|---|
| ✳ Plus de 50€ ▪ de 30 à 50€ ◆ de 25 à 30€ ● de 15 à 25€ ▲ moins de 15€ | | ◆ ☎ FAX | | ⊟ |
| ▲ F7 | **PANINI CAFFE** 15, square Mérimée (face Palais des Festivals) | | Snack-glacier Terrasse-Ambiance musicale *Saladerie, panini, tarterie, sandwicherie glaces, jus de fruits pressés* | 22 +40 ter |
| ▲ | **PANORAMA** 50, La Croisette **Tél 04 92 99 70 00 - Fax 04 92 99 70 10** | | Snack Terrasse panoramique | 60 |
| ▲ | **LE PETIT CARLTON** 93, rue d'Antibes **Tél 04 93 39 27 25** | | Salades, plats du jour, viandes, pâtes Terrasse - Comptoir | 90 |
| ▲ | **QUICK HAMBURGER RESTAURANT** 53, rue d'Antibes - **Tél 04 93 38 83 80** | | Hamburgers, salades, vente à emporter, desserts | 180 |
| ▲ F7 | **CAFÉTÉRIA RESTAURAMA** 1, Al. de la Liberté **Tél 04 93 39 39 21 Fax 04 93 39 26 37** | | Cuisine traditionnelle - formule liberté Terrasse - Salon de thé - Glacier - Parking pantiero *Grand choix de hors-d'œuvres, viandes rouges, pâtes, couscous, poissons grillés, pâtisseries maison, glaces* | 200 +200 ter |
| ▲ | **LE SPLENDID** 2, rue Jean Jaurès **Tél 04 93 38 34 96** | | Brasserie - Terrasse - Musique Saladerie, pâtes, viandes et poissons grillés, desserts maison | 60 +40 ter |
| ▲ F8 | **LA TARTERIE** 33, rue Bivouac Napoléon (face poste) **Tél 04 93 39 67 43** | | Restauration rapide (fabrication maison) - Salon de thé Climatisé - Musique- Vente à emporter *Tartes salées: saumon, steak, confit d'oie, poissons, fromage et légumes et tartes aux fruits, salades et pizza* | 50 |
| ▲ | **LA THÉIÈRE** 18, rue de Cdt André **Tél 04 92 98 17 57** | | Salon de thé - Brasserie - Ambiance familiale | 35 |
| ● | **LE TRIOMPHE** 4, rue Jean Jaurès (face gare SNCF) **Tél 04 93 39 09 70** | | Brasserie haut de gamme - Cuisine provençale et italienne. Climatisé - Terrasse - Cabaret tous les jeudis soirs | 120 +20 ter |

1. Est-ce qu'on peut prendre <u>du poisson</u> au Splendid?

   Oui, on peut en prendre au Splendid.

2. Combien <u>de restaurants</u> y a-t-il dans la rue d'Antibes?

   Il y en a deux dans la rue d'Antibes.

3. Est-ce que le Quick Hamburger Restaurant vend <u>des desserts</u>?

   Oui, le Quick Hamburger Restaurant en vend.

4. À quels restaurants est-ce qu'il y a <u>de la musique</u>?

   Il y en a au Panini Caffe, au Splendid et à la Tarterie.

5. Combien <u>de couverts</u> le Petit Carlton a-t-il?

   Le Petit Carlton en a 90.

6. Est-ce que la Théière a plus <u>de places</u> que la Tarterie?

   <u>Non, la Théière en a moins que la Tarterie.</u>

7. Où peut-on manger <u>de la cuisine italienne</u>?

   <u>On peut en manger au Triomphe.</u>

8. Est-ce qu'on a beaucoup <u>de glaces</u> à la Cafétéria Restaurama?

   <u>Oui, on en a beaucoup à la Cafétéria Restaurama.</u>

**16** Regardez les horaires de trains pour aller de Paris à la côte d'Azur. Comparez les possibilités de trains et répondez aux questions suivantes. Dans vos réponses, identifiez les trains par leurs numéros.

### Paris/Île de France → Valence → Avignon → Marseille → Nice

| N° du TGV | | 803 | 815 | 535 | 819 | 823 | 543 | 835 | 837 | 839(1) | 841 |
|---|---|---|---|---|---|---|---|---|---|---|---|
| Restauration | | 🍴 | 🍴(4) | | | | | | 🍴(5) | 🍴(6) | (7) |
| PARIS GARE DE LYON | D | 6.54 | 12.06 | | 13.20 | 14.27 | | 17.42 | 18.32 | 19.51 | 23.02 |
| Aéroport Charles de Gaulle TGV | D | | | 13.13 | | | 17.05 | | | | |
| Marne la Vallée Chessy 🐭 | D | | | | | | 17.19 | | | | |
| Le Creusot TGV | A | | | | 14.45 | | | | | | |
| Satolas TGV | A | | | 15.10 | | | | | | 21.50 | |
| Valence | A | 9.21 | | 15.43 | | | 19.57 | | 20.57 | 22.24 | |
| Montélimar | A | 9.43 | | | | | a 20.47 | | | 22.47 | |
| Orange | A | a 10.31 | | j 17.22 | | | a 21.20 | | | | |
| Avignon | A | 10.21 | 15.29 | 16.39 | 16.44 | | 20.53 | 21.02 | 21.53 | 23.25 | |
| Arles | A | f 11.15 | | g 17.20 | g 17.20 | | | | f 22.27 | | |
| Marseille | A | 11.31 | 16.25 | 17.36 | 17.39 | 18.36 | 21.53 | 21.57 | 22.50 | | |
| Toulon | A | c 12.50 | c 17.21 | c 18.29 | d 18.54 | 19.21 | c 22.51 | 22.45 | c 0.13 | | 5.03 |
| Hyères | A | | d 18.09 | | | | | | | | |
| Saint-Raphaël | A | c 13.44 | c 18.09 | c 19.25 | | c 20.30 | c 23.45 | c 23.45 | | | 5.59 |
| Cannes | A | c 14.13 | c 18.33 | c 19.49 | | c 20.55 | c 0.09 | c 0.09 | | | 6.24 |
| Antibes | A | c 14.25 | c 18.43 | c 20.01 | | c 21.07 | c 0.21 | c 0.21 | | | 6.37 |
| Nice | A | c 14.44 | c 19.00 | c 20.19 | | c 21.28 | c 0.38 | c 0.38 | | | 7.00 |
| Monaco | A | | | | | | | | | | |
| Menton | A | | | | | | | | | | |
| Ventimiglia | A | | | | | | | | | | |

*(HORAIRES)*

1. Quel train part le plus tard de Paris?

   <u>Le train numéro 841 part le plus tard de Paris.</u>

2. Quel train part le plus tôt de Paris?

   <u>Le train numéro 803 part le plus tôt de Paris.</u>

3. Quels trains arrivent le plus tard le soir à Saint-Raphaël?

   <u>Les trains numéro 543 et 835 arrivent le plus tard le soir à Saint-Raphaël.</u>

4. Quel train arrive le plus tôt le matin à Valence?

   <u>Le train numéro 803 arrive le plus tôt le matin à Valence.</u>

5. Quel train va de la gare de Lyon à Marseille le plus rapidement?

   Le train numéro 823 va de la gare de Lyon à Marseille le

   plus rapidement.

6. Quel train va de l'aéroport Roissy–Charles de Gaulle à Valence le plus rapidement?

   Le train numéro 535 va de l'aéroport Roissy–Charles de Gaulle à

   Valence le plus rapidement.

7. Le voyageur qui n'aime pas du tout passer la journée dans le train voyagerait le mieux dans quel train?

   Le voyageur qui n'aime pas du tout passer la journée dans le train

   voyagerait le mieux dans le train numéro 841.

---

**17** Heinrich Heine (1797–1856), sometimes called "the German poet who chose France," wrote the poem that follows as he was about to return to his homeland after being gone for 13 years. As you read the poem, notice how the poet uses personification to intensify his feelings of nostalgia. Then answer the questions that follow the poem.

**Adieu Paris...**

(extrait)


Adieu, Paris ma chère ville

Il nous faut donc nous séparer.

Je te laisse en belle abondance

De joie, de plaisirs, de délices.


Le cœur allemand dans ma poitrine

S'est soudain mis à souffrir.

Le seul docteur qui me le puisse guérir

Habite chez moi là-bas vers le Nord.


Adieu, Français, peuple gai,

Adieu, adieu, mes joyeux frères,

La nostalgie me pousse, insensée,

Mais très bientôt je reviendrai....


*Poète d'aujourd hui*, © Seghers

1. What does Heine feel about the city he is leaving?

   Heine loves Paris and refers to it as **ma chère ville**.

2. How does he use personification to enrich the expression of his feelings?

   Heine speaks of Paris as if the city were a beloved person from whom

   he must separate. He refers to Paris as a person, addressing the city

   in the familiar **tu** form (**Je te laisse**....).

3. What reasons does he offer for his decision to leave Paris? Identify two examples of personification that intensify the representation of his reasons.

   The poet says that his heart suddenly began to suffer, like that of a

   sick person. The only "doctor" who can cure him lives in his own

   country to the north.

4. What does Heine feel about the French people in general?

   He refers to the French people as his gay, joyful brothers.

5. How does the poet once again explain his decision to leave France temporarily?

   The poet says that he is being forced to leave by an overwhelming,

   unthinking force: nostalgia.

6. According to the poem, does Heine intend to be gone for a long or short period of time? Based on the feelings he has expressed in the poem, how do you explain this?

   Heine says that he will soon return to Paris. He expresses conflicting

   feelings throughout the poem: his affection for Paris and the French

   people is strong, but he is suddenly overwhelmingly homesick.

7. Compare the feelings of Heine with those that you yourself have experienced when you have been away from your home or family for an extended period of time. Were your feelings similar to his or different?

   Answers will vary.

# *Unité 11* La France contemporaine

**1** | Complétez chaque blanc avec la lettre du problème contemporain convenable.

___f___ 1. Un ___ est une personne qui n'a pas de maison.

___h___ 2. La ___ est le problème des gens qui n'ont rien à manger.

___g___ 3. D'après beaucoup de gens, l'___ n'est pas bonne pour l'environnement.

___c___ 4. Quand on n'a pas de travail, c'est un problème. C'est le ___.

___b___ 5. Quand deux pays ont des problèmes sérieux, quelquefois ils font la ___.

___a___ 6. On voit souvent le médecin quand on a une ___.

___i___ 7. Quelquefois on a peur du ___ à l'aéroport.

___j___ 8. L'___ nous aide à réussir dans la vie.

___e___ 9. L'___ est un problème pour les gens qui boivent trop.

___d___ 10. La ___ est un problème pour beaucoup d'ados.

a. maladie

b. guerre

c. chômage

d. drogue

e. alcoolisme

f. sans-abri

g. énergie nucléaire

h. faim

i. terrorisme

j. éducation

**2** Regardez la liste de problèmes sociaux à gauche. Puis utilisez des éléments des deux autres listes pour trouver des solutions. Écrivez la solution convenable à chaque problème. On a écrit la première phrase pour vous.

| | | | |
|---|---|---|---|
| 1. | l'éducation | offrir | des bouteilles |
| 2. | la faim | recycler | de la nourriture pour des gens qui n'ont rien à manger |
| 3. | le chômage | donner | |
| 4. | les maladies | acheter | des vêtements et de la nourriture à des gens qui dorment dans la rue |
| 5. | la drogue | dire | |
| 6. | les sans-abri | trouver | des jus de fruit et du coca |
| 7. | l'alcoolisme | aider | à l'école |
| 8. | la pollution | boire | de l'argent |
| | | | "non" à la drogue |
| | | | du travail pour quelqu'un qui n'en a pas |

1. Je pourrais _aider à l'école._

2. Je pourrais _acheter de la nourriture pour des gens qui n'ont rien à manger._

3. Je pourrais _trouver du travail pour quelqu'un qui n'en a pas._

4. Je pourrais _offrir de l'argent._

5. Je pourrais _dire "non" à la drogue._

6. Je pourrais _donner des vêtements et de la nourriture à des gens qui dorment dans la rue._

7. Je pourrais _boire des jus de fruit et du coca._

8. Je pourrais _recycler des bouteilles._

**3** Choisissez l'expression à droite qui correspond à sa description à gauche d'après l'**Enquête culturelle**. Écrivez la lettre convenable dans le blanc.

    e     1. Ils existent dans tous les pays du monde.

    f     2. Elle cause des dangers écologiques.

    a     3. Ils choisissent des candidats qui vont aider l'environnement.

    g     4. C'est une maladie très grave.

    d     5. C'est un Français qui a découvert ce virus.

    c     6. En 1995 les Français l'ont choisi comme président.

    b     7. C'est le nombre de Français qui n'ont pas de travail.

a. les écologistes

b. 12 pour cent

c. Jacques Chirac

d. le VIH

e. les problèmes sociaux

f. la production d'énergie et d'armements nucléaires

g. le SIDA

**4** Qu'est-ce qu'on peut faire pour améliorer (*improve*) la vie de votre famille, la qualité de votre école et la qualité de votre ville? Écrivez deux idées pour chaque personne ou groupe de personnes, et utilisez un verbe différent de la liste plus un infinitif dans chaque phrase. (Il faut utiliser **à** ou **de** avec certains de ces verbes.)

| | | |
|---|---|---|
| aider | commencer | dire |
| aller | continuer | finir |
| apprendre | décider | inviter |
| arrêter | demander | offrir |
| choisir | se dépêcher | réussir |

**Modèle:** Dans ma famille:

Mon frère peut *arrêter d'écouter ses CDs de rock à minuit.*

*Il peut aider à nettoyer la maison le samedi matin.*

1. Dans ma famille:

Mon frère (ma sœur) peut _Answers will vary._____

_____

_____

Moi, je peux _____

_____

_____

2. À mon école:

Les professeurs peuvent _____

_____

_____

_____

Mes amis et moi, nous pouvons _____

_____

_____

_____

3. Dans ma ville:

Les hommes et femmes politiques peuvent _____

_____

_____

_____

Tout le monde peut _____

_____

_____

_____

**Leçon B**

**5** | Cherchez et encerclez 12 expressions dans la grille. Puis, complétez les phrases avec les expressions que vous trouvez.

```
C E I N T U R E D E S E C U R I T E C
D A M I N I V A N C R T A S J S F O
E U M O N I T E U R T M I U N K T R N
C T L I M I T E D E V I T E S S E P D
A O L O O X F E G N A R O U E F R I U
P E E S E N S U N I Q U E V B K D E C
O C H C I E K G O U H G L I S L F A T
T O P E R M I S D E C O N D U I R E R
A L D V O I T U R E D E S P O R T B I
B E T Y W N G K C Q V B L O Z J N O C
L L O S I T K I E T I T E C S E T L E
E C H E Y C V O J G U Z G D S F E T
```

1. Les Jacquot ont cinq enfants. Ils les emmènent souvent faire du camping. Ils ont un _____minivan_____.

2. Un conducteur doit toujours avoir son _____permis de conduire_____ avec lui.

3. Joëlle n'a pas encore son permis de conduire. Elle va à une _____auto-école_____.

4. Son _____moniteur_____ ne s'inquiète pas quand il est dans la voiture avec elle parce que Joëlle apprend vite.

5. M. Caille vend des canapés et des fauteuils. Quand il travaille, il utilise son _____camion_____.

6. Il faut mettre sa _____ceinture de sécurité_____ dans une voiture.

7. Mme Ponton aime le soleil. Quand il fait beau, elle prend sa _____décapotable_____.

8. On peut prendre cette rue pour y aller, mais pas pour revenir parce que c'est un _____sens unique_____.

9. Quelle est la _____limite de vitesse_____ sur cette route, 90 ou 110?

10. Ne t'inquiète pas, ce n'était pas un feu rouge! C'était juste un _____feu orange_____.

11. M. Doublier aime la vitesse. Il vient d'acheter une _____voiture de sport_____.

12. Tu vois la _____conductrice_____ de cette décapotable? C'est ma prof de français.

**6** | Myriam explique à trois amies différentes comment était sa leçon à l'auto-école aujourd'hui. Elle fait trois dessins pour chaque amie pour l'illustrer, mais chaque fois elle oublie un détail. Expliquez le problème de chaque dessin d'après le dialogue dans votre livre. Suivez le modèle.

Modèle : *C'était une voiture, pas un minivan.*

1. Il y avait un feu rouge, pas un feu vert.

2. L'autre conducteur avait un minivan, pas une voiture.

 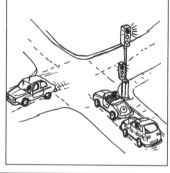 

3. Elles ont mis leurs ceintures de sécurité.

4. Le conducteur de la décapotable allait trop vite.

5. Elles ont tourné à droite, pas à gauche.

6. Ce n'était pas un
moniteur. C'était
une monitrice.

7. Le minivan a tourné
à droite.

8. Cette rue était un
sens unique.

**7** Répondez aux questions suivantes d'après l'**Enquête culturelle**.

1. À quel âge peut-on obtenir un permis de conduire en France?

   On peut obtenir un permis de conduire en France à l'âge de 18 ans.

2. Est-ce que les jeunes Français apprennent à conduire au lycée?

   Non, les jeunes Français n'apprennent pas à conduire au lycée.

3. Où est-ce qu'il faut prendre des leçons?

   Il faut prendre des leçons dans une auto-école.

4. Est-ce que ces leçons sont bon marché?

   Non, ces leçons sont très chères.

5. Avec qui est-ce qu'on conduit dans une auto-école?

   On conduit avec un moniteur ou une monitrice dans une auto-école.

6. Quelles sont trois marques de voitures françaises?

   Peugeot, Citroën et Renault sont trois marques de voitures françaises.

   _____

7. Quelle signalisation routière utilise-t-on en France?

   On utilise la signalisation routière internationale en France.

   _____

**8** | Écrivez la date où tout le monde conduit la voiture de quelqu'un d'autre (*else*) pour fêter une journée spéciale. Utilisez le verbe **conduire** dans vos phrases. Suivez le modèle.

**20 JANVIER**
exposition des tableaux de Matisse

*8 mars*
la Journée de la femme

7 avril
la Journée de la santé

*9 mai*
*la Journée de l'Europe*

*10 juin*
*la Fête de l'affiche*

16 SEPTEMBRE
la Fête du jazz

octobre
1
2 la Fête du vin
3

**DÉCEMBRE**
1ᵉʳ décembre —
la Journée du SIDA

*20 novembre*
*la Journée nationale de l'enfant*

**Modèle:** La mère d'Hélène lui dit qu'elle peut utiliser sa voiture pour assister à la Journée de l'Europe.

*Hélène conduit la voiture de sa mère le 9 mai.*

1. Mon père me dit que je peux utiliser sa voiture pour assister à la Journée nationale de l'enfant.

   Je conduis la voiture de mon père le 20 novembre.

2. Les parents d'Édouard et d'Aimée leur disent qu'ils peuvent utiliser leur voiture pour assister à la Journée du SIDA.

   Édouard et Aimée conduisent la voiture de leurs parents le

   premier décembre.

3. Tes parents te disent que tu peux utiliser leur voiture pour assister à l'exposition des tableaux de Matisse.

   Tu conduis la voiture de tes parents le 20 janvier.

4. La tante de Béatrice lui dit qu'elle peut utiliser sa voiture pour assister à la Journée de la femme.

   Béatrice conduit la voiture de sa tante le 8 mars.

5. Gaston dit à ses sœurs qu'elles peuvent utiliser sa voiture pour assister à la Fête du vin.

   Les sœurs de Gaston conduisent sa voiture le 2 octobre.

6. Notre grand-père nous dit que nous pouvons utiliser sa voiture pour assister à la Fête du jazz.

   Nous conduisons la voiture de notre grand-père le 16 septembre.

7. Ton cousin te dit que ton ami et toi, vous pouvez utiliser sa voiture pour assister à la Journée de la santé.

   Ton ami et toi, vous conduisez la voiture de ton cousin le 7 avril.

8. La mère de Richard lui dit qu'il peut utiliser sa voiture pour assister à la Fête de l'affiche.

   Richard conduit la voiture de sa mère le 10 juin.

**9** | **A.** Étienne a écrit une lettre à sa correspondante sur les cours d'été que ses amis et lui suivent cette année à des universités dans trois villes françaises différentes. Complétez chaque blanc dans sa lettre avec la forme convenable du verbe **suivre**.

*Chère Adèle,*

*Les vacances ont bien commencé, mais je suis toujours à l'école. Je ___suis___ un cours sur l'environnement à l'université de notre ville parce que c'est quelque chose que je veux apprendre. Tu connais mon ami Paul qui joue bien du piano? Nous ___suivons___ ensemble un cours de musique. Deux cours, c'est beaucoup de travail!*

*Ma sœur Catherine est partie dans une autre ville avec son amie américaine, Barbara. Toutes les deux sont professeurs de français, et elles ___suivent___ un cours sur la vie quotidienne française. Barbara ___suit___ aussi un cours de cuisine. Et toi, est-ce que tu ___suis___ un cours d'histoire de l'art, comme tu voulais faire? Je pense que tu m'as écrit que ton ami David et toi, vous vouliez aussi étudier le cinéma. Est-ce que vous ___suivez___ un cours sur le cinéma? Aimes-tu ces cours aussi bien que les cours que tu ___as suivis___ l'été dernier?*

> *Bonnes vacances!*
> *Ton ami,*
> *Étienne*

**B.** Lisez les brochures de deux universités françaises, Lyon et Montpellier. Puis écrivez des phrases pour dire dans quelle ville des étudiants de l'Activité 9A suivent des cours.

**Lyon**

**INSTITUT DE LANGUE ET DE CULTURE FRANÇAISES**
Université Catholique
I.L.C.F.

**PROGRAMMES**

**Sessions mensuelles d'été :** du 1er au 26 juillet ; du 5 au 30 août ; du 2 au 27 septembre.

3 sessions de 4 semaines avec 20 heures d'enseignement par semaine, par groupe de niveau (tests le premier jour), classes de 23 à 25 personnes ; ainsi qu'une session de didactique du français pour professeurs de FLE.

Possibilité de suivre gratuitement un cours choisi parmi les enseignements du Département de Formation humaine : musique, éthique familiale, histoire, environnement…

**Montpellier**

**INSTITUT DE MONTPELLIERAIN D'ÉTUDES FRANÇAISES**
IMEF

**PROGRAMMES**

**Cours d'été de langue et de civilisation françaises** pour tous niveaux du 2 juin au 30 septembre (2, 3, 4 semaines ou plus). 25 heures d'activités pédagogiques par semaine (groupes de 8 à 12 participants). Pédagogie communicative et pratique dynamique de la langue : expression et communication en français courant, civilisation et vie quotidienne. Ateliers pédagogiques optionnels : phonétique, cuisine, grammaire, rencontres, visites, expériences sur le terrain. Certificat de stage.

1. Catherine et Barbara ___suivent des cours à Montpellier.___

2. Étienne et Paul ___suivent des cours à Lyon.___

**10** Complétez l'activité suivante d'après la **Mise au point sur... la France contemporaine**.

| Issues in France | Disadvantages / Problems | Advantages / Possible Solutions to Problems |
|---|---|---|
| 1. use of nuclear reactors to provide electricity | possible nuclear pollution | provides independent energy source |
| 2. spread of diseases such as AIDS | most AIDS cases in Europe | ongoing research to find a cure for AIDS |
| 3. progress by women toward gaining equality | significant gap between men's and women's salaries; women underrepresented in all levels of government | creation of a Ministry of Women's Rights; laws enacted to regulate equal treatment in workplace and home; granting of paternity leave |
| 4. nationalization of education | lack of modern facilities; no accommodation for regional and personal differences; intense periods of study; little practical training | free schooling through university level; standardized achievement; long, frequent vacations; restructuring of **bac** |
| 5. high unemployment | double-digit unemployment; particularly affects women and people leaving agriculture or industry; high rate of unemployment among young people | consideration being given to increasing social jobs and shortening workweek |
| 6. large immigrant population | vocal minority challenges popular domestic policies; rise of far-right, anti-immigration National Front Party led by Jean-Marie Le Pen | majority of immigrants satisfied with their lives |

## Leçon C

**11** Complétez les blancs avec le nouveau vocabulaire de cette leçon. Quand vous finissez les phrases 1–5, mettez les lettres encerclées en ordre pour compléter la dernière phrase.

| capot | huile | pompiste |
|---|---|---|
| essence | pare-brise | station-service |
| faites le plein | pneus | super ou ordinaire |

1. Quand le chauffeur voit qu'il n'a plus d'e̲s̲s̲e̲n̲c̲e̲, il va à une s̲t̲a̲t̲i̲o̲n̲-s̲e̲r̲v̲i̲c̲e̲.

2. Le chauffeur parle au p̲o̲m̲p̲i̲s̲t̲e̲. Il lui dit "F̲a̲i̲t̲e̲s̲ l̲e̲ p̲l̲e̲i̲n̲, s'il vous plaît."

3. Le pompiste demande au chauffeur "S̲u̲p̲e̲r̲ o̲u̲ o̲r̲d̲i̲n̲a̲i̲r̲e̲?"

4. Pour vérifier l'h̲u̲i̲l̲e̲, il faut ouvrir le c̲a̲p̲o̲t̲.

5. Dans une station-service, le chauffeur peut aussi nettoyer le p̲a̲r̲e̲-b̲r̲i̲s̲e̲ et vérifier les p̲n̲e̲u̲s̲.

6. Théo conduit une v̲o̲i̲t̲u̲r̲e̲ d̲e̲ s̲p̲o̲r̲t̲.

**12** Racontez les aventures de Théo et Renée. Choisissez un élément de chaque colonne pour faire des phrases correctes d'après le dialogue.

| | A | B |
|---|---|---|
| 1. La voiture de Théo | va ouvrir | le plein |
| 2. Théo et Renée | demande | beaucoup d'essence |
| 3. Renée | aime | une station-service |
| 4. Les voitures de sport | vont tomber | le capot |
| 5. Théo | arrivent à | de l'essence ordinaire |
| 6. Théo et Renée | va vérifier | rouler vite |
| 7. Théo | n'a plus | l'huile et l'eau |
| 8. Le pompiste | n'aime pas | d'essence |
| 9. Théo | fait | les voitures de sport |
| 10. Le pompiste | consomment | en panne |

1.   La voiture de Théo n'a plus d'essence.

2.   Théo et Renée vont tomber en panne.